ヘルシンキ
生活の練習

朴沙羅

筑摩書房

もくじ

装丁・装画・本文設計　寄藤文平＋古屋郁美（文平銀座）

はじめに

二〇二〇年の二月から、私はヘルシンキで仕事をすることになった。

そもそものきっかけは、二〇一八年に初めて、フィンランドはユヴァスキュラという街に、夏のあいだ滞在したことだった。キラキラした太陽の光と湖と森が気に入って、もし何かまたご縁があったらここに住みたいと思った。

それから一年くらいして、ヘルシンキにある、とある職場が新人を募集していた。だめでもともと、と思って書類を送ったら面接に招かれてしまった。そして――面接のときに「結果は二週間から一カ月の間にお知らせします」と言われたのに、一カ月半たっても音沙汰がなかったので不採用だろうと思っていたのだが――二カ月くらいして採用通知が来た。

私は結婚していて、子どもが二人いる。採用通知が来たとき、上の子（ユキ＝仮名）は六歳。下の子（クマ＝仮名）は二歳。連れ合い（モッチン＝仮名）は日本で仕事をしていて、そこそこのキャリアがある。

家族をどうするつもりなんだ、私。

かなりびくびくしながら、モッチンに「採用されちゃったみたい」と言ったら、すかさず「すごいじゃん！　おめでとう！」と言ってくれた。彼にはほかの選択肢はなかったかもしれないが、そう言われて初めて、少しうれしくなった。

というのも、できればよその国で働きたいというのは、中学生くらいの頃から、かれこれ二〇年来の計画だったからだ。

私は日本で生まれて、日本国籍をもつ在日コリアンだ。父が韓国人、母が日本人なので、「ハーフ在日」と言うのが正確なのかもしれない。ときどき、初対面なのにいきなり国籍やアイデンティティに関する立ち入った問題について質問してくる人がいる。そういうことを質問していいと感じられるのは羨ましい。

名前が韓国風（いわゆる民族名というやつ）なので、日本で日常的に暮らしていて、法律が関与しないかぎり、私は日本人とは扱われない。日本人として扱われていれば、私は私をごく当たり前に日本人だと思ったかもしれない。もちろん「なんで日本人にならないの？」とか「もう日本人と同じだよね！」とか言われるときとは違う意味で――そういう言い方は、相手が「日本人ではない」ことを前提にしている。

この名前が原因で、私は小学校のときにいじめられたらしい。らしい、というのは、ほとんど覚えていないからだ。ところが、民族団体の子ども会でも、私はまったく馴染めなかった。小学校の授業時間中に、韓国語や韓国の歴史を学ぶ「民族学級」というところにも通ったが、そこの先生は明らかに私を嫌っていた。なんでやねん。品行方正、成績優秀、なんでもすぐにできて民族意識も高い私の何がだめなんですか。と、彼女の前で言ったからか。

自分の何が悪いのか、自分が何者なのかを悩みすぎて、面倒くさくなった頃に小学校時代が終わった。

中学一年生のとき、学校に来ていたＡＬＴ（assistant language teacher、ネイティブスピーカーの英語の補助教員）は、私が日本人だろうが韓国人だろうがハーフだろうがダブルだろうがどうでもいいらしい、と気づいた。この人は、私がどれくらい英語を話せるかにしか関心がない。この人と話すのはなんて気楽なんだろう。きっと、世の中にはこういう人がほかにもいるに違いない。私だって、目の前のこの人がアメリカ人なのかカナダ人なのかオーストラリア人なのか、正直なところなんでもいい。ということは、そういう場所に行きさえすればいいんじゃないか。

そこで、私は俄然、「外国」に住もうと思った。日本でも韓国でもない国に住みたい。正直、「極東からきた猿の一味」くらいに思われてもかまわない。歴史も現状も何も踏まえず、日本人から「朝鮮人は朝鮮へ帰れ」と言われるのに比べたら、地球の反対側で「イエローモンキーはファーイーストでバナナでも食ってろ」と言われるほうがましだ——と言ったところで、心優しい日本人の友人の多くには、伝わりすらしないのだから。

中学三年生くらいのときには「私は私、なにじんでもない」と思うようになった。いわゆる厨二病というものの一症状だったかもしれない。でも、高校に入ると、なんだかそれも違うような気がした。大学で社会学を学んだら「問題なのは、私が「私は何者なのか」と悩まなければならないような状況のほうではないか」と気づいた。

ということで、状況を変えればいいのではないか。

しかし、当時の私は、目の前のことに一生懸命だった。志望する大学に入って、大学生活を楽しんで、気がついたら社会人になっていた。その間に結婚して配偶者との間に子どもが生まれた。ぶらりと一人旅したり、留学したり、海外就活したりするのは、どう考えても無茶ではないか。

と思っていたところに、この話がきた。

タイミングもちょうどいい、と言えばちょうどよかった。ユキは保育園の年長組になっていた。ユキは、モッチン（日本人）の姓を継いでいる。でも、クマは私の姓を継いでいる（つまり、姉と弟で姓が違う）。でも、私は自分のこの名前を変えるつもりはない。ということは、どこかで私が名前を呼ばれたら、「あいつの母ちゃん朝鮮人」と言われるのではないか。

ユキやクマが小学校に通い始めたら、私のように、親のルーツが原因でいじめられたりしないだろうか。もし子どもたちがいじめられたとき、私は私の父がそうしたように、あなたが受けているのは民族差別であるときちんと定義し、いじめの対策だけでなく差別の対策を取るように、学校に交渉しに行けるだろうか。

そして、もしユキが当たり前のように自分を日本人とみなすようになったとき、私はどんな気持ちになるのだろうか。クマがかつての私のように、自分が何者なのかと悩み始めたら、私は何と答えたらいいのだろうか。

こういうことをいろいろと考えだすと、いつも胃のあたりが重くなった。まだ始まってもいないのに、子どもの小学校生活が不安だった。

ていうか、だから、なんで私がこんなことに悩まなあかんねん。

いつまでこのネタを引っ張らせる気や、日本社会は。

というわけで、状況を変えたかった。

だから、ユキが生まれてから、私はわりと必死で転職活動をしていた。日本で働いていたとき、職場には何の不満もなかった。

どこかで諦められると思っていた。そのほうがモッチンも、職場の人も、子どもたちも、私の親も、みんなが幸せになるのもわかっている。でも無理だった。

いつまでも夢を追えるような年齢でも立場でもないので、自分の中でタイムリミットは設定していた。ユキの小学校入学まで、つまり、二〇二〇年三月三一日までに、どこにも転職できなければ、今の職場できちんとやっていこう、と。

そして、二〇二〇年の二月に、私はヘルシンキにやってきた。ユキとクマは、ユキの卒園式が終わってから、三月半ばに合流することになっていた。


この本では、主にユキとクマから協力を得て、私たちがヘルシンキでどんな生活をしているのかを書いていこうと思う。

これを書こうと思った理由は、別に私のめんどうな経歴を開陳するためではない。

二〇一八年に初めてフィンランドに行って以来、私はいわゆる「北欧推し」のような言説も、その「逆張り」も、好ましいと思えない。我が国はかくかくしかじかの点でどこそこに劣っている、どこそこの国はかくかくしかじかの点において素晴らしい、我が国もそこに学び努力しなければならない、等々の説は、明治維新以来ずっと日本で見つけられるだろう。

いや、きっと似たような説は韓国にも中国にも台湾にもあるだろう。欧米こそは文明のシンボルであり、数世紀にわたって成してきた侵略と植民地支配と搾取にもかかわらず、かの国々が唱える人権と民主主義という思想は、まさに侵略と植民地支配と搾取の結果として世界に広がり、支持されてきた。だから、侵略と植民地支配と搾取に乗り遅れた各国が、文明のシンボルに追いつけ追い越せとなるのは不思議ではない。

隣の芝生は青く見えるものである。そして、隣の芝生が青いからうちの芝生も青くなるようにがんばろう、ということ自体は非難されるべきことではない。ついでに、そのような追いつけ追い越せが気に食わないという心情にも納得がいく。隣の芝生が青いからってなんやねん。あるいは「隣の芝生が青いのは、こういうやばいことをしているからなんだぜ」とか「隣は芝生は青いけど、塀はボロボロなんだぜ」とかいうほうが近いかもしれない。どちらにしても「褒められている何某は実はそれほどでもない」と言いたくなるときもあるだろう。

でもそれ、正直なところ、どっちも「欧米」それ自体に、あんまり興味ないんじゃありませんか。興味があるのは「我が国」とか「私たち」だったりしませんか。

相手は、こちらと比較して優れているわけでも劣っているわけでもなく、単に違うだけではないか。その違いは、ときに腹立たしく、ときに面白いものではないか。私は、フィンランドでごくわずかな時間しか過ごしていないが、さまざまな違いの多くを面白いと感じる（ときどき「なんでやねん！」と感じる）。

だから、他の人にもその面白さ（と「なんでやねん」）を紹介して、面白がってもらいたい。面白くない場合は私の目のつけどころがシャープでないのだろう。

1

未知の旅へ

ヘルシンキ到着

ただ、その、あなたはもう少し、
反射させないと危険ですよ。

――ヴィサ（移住サポートの担当者）

ユキとクマが揃ってフィンランドに行くことになるのは、これで二度目だった。二〇一八年、まだユキが四歳で、クマが〇歳だった頃、私とユキとクマは、私の妹と四人で、初めてフィンランドに来た。

ヘルシンキの空港に到着したのは夜で、最終目的地のユヴァスキュラにはヘルシンキから電車で二時間以上かかるので、到着した日には空港のすぐ近くのホテルに一泊することにした。値段のわりにきれいなホテルで、子どもの遊ぶ場所もサウナもあったが、残念ながら全員疲れていて、その日はすぐに休むことにした。

その日の夜の一〇時ごろ、ユキがベッドから落ちた。ベッドはわりと高く、床は固かった。ユキは頭を打って、痛いと言って大泣きした。触るとタンコブができている。頭を打って泣くときは安心していい、泣かない（意識がない）ときは危険だと聞いたことがあったので、私はこれなら大丈夫だろうと思い、早く寝なさいと言った。

ところが、それから一五分ほど経って、ユキは「気持ちが悪い」と言って吐いた。ユキは晩ごはんどころか、機内食も「おいしくない」と言ってろくに食べていなかったので、吐き気があっても吐くものがない。それでも気持ちが悪い、ゲロってしたら喉が痛い、頭も痛い、と言って、今度はシクシクと泣き出した。

次第に私も心配になってきた。妹と話し合い、とりあえず、フロントに行って相談しようということになったので、妹にクマ（こちらは熟睡していた）を預け、私はユキを連れてフロントに行った。

フロントにいた係りの人はとても心配して、なんと救急車を呼んでくれた。今になると、どう考えても救急車を呼ぶような事態ではなかったのだけれども、その時点で、ユキが嘔吐《おうと》し始めてから二〇分ほど経っていたし、その間ずっとユキは嘔吐したり、嘔吐するものがなくて胃液を吐いたりしていたので、私も気が動転していた。

一五分ほどして救急車が来た。救急隊員さんは、二〇代後半から三〇代前半くらいの、あまり人間の顔について識別できない私にすらハンサムだと認識できる男性だった。私がおろおろしながら彼に状況を説明すると、彼はイスにぐったりと横になっているユキの隣にしゃがみ込んで、「座れますか？」と英語で質問した（ので私がユキと救急隊員さんとの通訳をした）。ユキが座ると、救急隊員さんはユキの頭をそっと触り、まぶたを確認した。

「いくつか質問をしますね。あなたのお名前は何ですか？」ユキは突然、ピシッとした口調で「父ちゃんの名前は、モッチンです！」と答えた。救急隊員さんは少しだけ微笑んで、「晩ごはんに何を食べたか、覚えていますか？」と質問した。ユキはより一層、ピシッとした表情と口調で「飛行機の中で、カレーが出ましたので、食べたかったですが、からかったので、食べられませんでした！」と答えた。これには私が笑いそうになったが、何せ救急車を呼んでしまったのは私なので、笑うわけにはいかなかった。私がユキの発言を通訳すると、救急隊員さんも吹き出した。

笑い終わったあと、彼は「何も問題ありません。軽い脳震盪《のうしんとう》だと思われます。もし明日の朝に目が覚めなかったり、あるいはまだ嘔吐するようでしたら、いつでも連絡してくださいね」と言った。そうですよね、絶対に何も問題ないですよね。なんで私、あんなに気が動転しちゃったんだろう……。

安心したら、私は別の不安に襲われた。救急車を出動させると、この国ではいくらかかるんだろう。アメリカだと一〇〇万円ぐらいかかるんだっけ？　旅行保険の適用範囲内だろうか。保険の手続きってどうやったらよかったっけ。

と考えていたら、救急隊員さんが「出動要請記録を取りたいので、パスポートを見せてください」と言った。パスポートは部屋に置いてきたので、ユキと隊員さんと一緒に部屋に向かい、カバンからパスポートを出して見せた。妹が心配して待っていたので、問題なかったと報告した。

救急隊員さんは、私の氏名とパスポート番号を記録し、「今日はこれで終わりです。お疲れさまでした」と言った。そして「子どもはときに、自分を傷つけるようなことをしてしまいますよね。でも、彼らは、それを通じてしか学べないときがあるのですよ」と言い、「あ、そうそう、今日の出動は無料ですよ。フィンランドには保険があるからね。お大事に。モイモイ!」と言って、爽やかに立ち去った。

恋に落ちるかと思った。保険に。

このときは、「あの隊員さん、いいこと言うなあ（保険についてだけではなく、子どものの怪我についても）」と思っていたのだが、今になって思うと、もし日本で他人の子どもにあんなことを言ってツイッターなりSNSなりに上げられたら、炎上の一つや二つしそうな気がする。


その次の日、私たちは電車に乗ってユヴァスキュラに着いた。湖のすぐ前にある宿舎の、見晴らしのいい部屋に入って一〇秒もしないうちに、クマが部屋の備品のランプを粉々にした。私がフィンランドで最初にしたお仕事は、「部屋のランプを割りました」と管理会社にお詫びのメールを書くことになってしまった。すると、「保険をかけているから大丈夫です」と返事がきた。またしても保険に救われた。保険、ありがとう。あんた本当に頼りになるね。

それから、私は仕事関係の学会で報告し、ネズミ花火のように動き回る子どもを二人連れて懇親会にも参加した。日本から来ていた方が、懇親会に子どもを連れて行くなら、私が子連れでも参加できるかどうか確認してから参加すべきだとおっしゃった。懇親会ってにぎやかだから大丈夫じゃないかなあ、と思いつつ、学会事務局に「〇歳と四歳の子どもがいるんですが、連れて行ってもいいですか？」と質問した。

事務局の女性スタッフは、不思議そうな表情で、私に「今からチャイルドシッターを手配することはできないのですが、それでもよろしければ」と言った。そう来たか。発言の内容もさりながら、なぜ私が子どもを連れていくことを気にするのか理解できない、というふうな彼女の表情に、私はとても気が楽になった。この人は、子どもに優しいのではない。子どもを（あるいは子どもを連れている私を）気にしていないのだ。

それから、別のパーティの席では、走り回る子どもたちから私が目を離せずにいたら、現地のスタッフが「なぜあなたは、自分が楽しむためにパーティに参加している

1

のに、子どもに関心を向けているのですか？」と質問した。「怪我をしてはいけないと思ったからです」と答えたのだが、これは六割くらい嘘だった。

子どもに注意を向けていなければ、「悪い母親」と見なされて、どこの誰からどんなふうに、何を言われるかわかったものではないからだ。言われたら言い返せばいいのだけれども、英語で即座に言い返せる自信はない。だから前もって「悪い母親」に見えないように振る舞っておけばいいと思った。というのが正確なところだ。

質問した人は表情も変えず、「命に関わるほどの怪我をするほど危険な場所で、私たちはパーティをしているわけではありません」「今日の食器は紙皿と紙コップばかりです。テーブルが倒れても、食材がもったいないですが、熱いものや刃物はありません。安心してください」と言われた。それで、私は子どもの怪我の心配ではなく、子どもを理由に私が攻撃されることへの心配から、解放された。誰からも注目されないのは、なんて気楽なことだろう。

二〇一八年の夏の、子どもがいなければしなくて済んだ体験によって、私のフィンランドの印象は、とてもよくなった（というより、それまでフィンランドに何の印象も持っていなかった）。あそこなら、誰も私のことを気にしない。子どもたちがにぎやかだろうが、走り回ろうが、誰もそんなことで動揺しない。通りがかりの人に怒鳴られること も、叱りつけられることもない。何かあれば、きっと保険が助けてくれる。

私がヘルシンキ・ヴァンター空港に到着したのは、二〇二〇年一月三一日だった。最初の一カ月半の間に、職場と仕事に慣れることはもちろん、住むところを決めて、保育園を見つけ、家具を買って、子どもたちが来ても大丈夫な状態を作っておかないといけない。

私の新しい職場は、私の移住に関する最初のサポートを、よその会社（仮にA社とする）に委託していた。A社の担当の人とはメールでやりとりしていたものの、年末に最初の担当者が退職してしまい、新しく、ヴィサさんという人が私とメールをやりとりしていた。ヴィサさんとは二月一日に、インターナショナル・ハウス・ヘルシンキという市の建物の前で待ち合わせて住民登録を手伝ってもらい、そのあと一緒に銀行口座を作ることになっていた。

1

ところで私は、メールでのやりとりと「ヴィサ」という名前の音の響きから、勝手に同じくらいの年齢の女性だろうと思い込んでいた。ところが、二月一日の朝にインターナショナル・ハウス・ヘルシンキの入り口の前で待ち合わせたヴィサさんは、同じくらいの年代か、やや若いくらいの、大柄な男性だった。

住民登録と銀行口座の申し込みを順調に済ませたあとは、職場までヴィサさんが連れていってくれた。人事課の方やこれから同僚になる人たちに挨拶して、一緒に近所の中東系レストランでお昼ごはんを食べた。

食事中、同僚のアーダから、子どもについて質問された。私には娘が一人、息子が一人いると答えたら、アーダは、フィンランドで女性がいかに強く育てられるかについて熱く語ってくれた。

「OK、あなたの娘は強く育てられるでしょう。誰からもきちんと扱われるようにね。私たち女性は、すべてを手に入れたいのです。尊厳、お金、時間の余裕、安定した仕事、欲しい人は配偶者と家庭、それから買えるお値段の家もね。共に手に入れましょう！」

たしかに、アーダは見るからに強そうだ。と思ったけど、思い返せば私も、花も恥じらう思春期だった高校時代に、同じ部活の男子から「強そう」と言われていた。他人について気楽にコメントするものではない。

人事課のエレナさんに、「いま何か知りたいことはある？」と質問されたので、私が一番苦手なこと――すなわち、化粧とファッション――について質問してみた。

「日本では、職場で望ましいファッションや化粧のやり方というものがあって、職種によってかなり異なるのですが、フィンランドではどうでしょうか」

エレナさんは少し戸惑った表情を浮かべて、すぐ答えてくれた。

「重ね着ですね。薄手の服を重ねるほうが温かいですし、暑く感じたらすぐに脱ぐことができます」

そしてすぐ「この時期はまだ日照時間が短くて暗いので、外を歩くときは体のどこかを反射させるのがいいと思います。それから、なるべく滑らず、水を浸透させない靴を履くことを勧めます」。

そういう話と違うんや。それは安全対策や。

そう言われて周囲を見ると、たしかに、かなり多くの人が、いわゆる「黄色いベスト」と呼ばれる、あの服を着ている気がする。もちろん、道路工事に従事している人や、保育園の先生（と子どもたち）など、目立つ必要がある人も着ているのだけれども、そのようには見えない人も着ている。その下にどんなおしゃれな服を着ても、あのベストを着るだけで台無しになってしまう。

あるいは、手袋や靴、自転車に乗っている人ならヘルメットが、蛍光色だったり反射していたりする人もいる。体のどこかに反射材をまとっている人もいる。そうか、これが、真の北欧ファッションなのか……。めっちゃダサいやん。

しかし、次にアパートの下見のために出かけたとき、同行してくれたヴィサさんは、ややためらったあと、私に「ほかの人の服装や外見にコメントするのはとても失礼なことではありますが、ただ、その、あなたはもう少し、反射させないと危険ですよ」と言ったのだった。やっぱり反射しないとだめだったのか。

ここからしばらく、保育園の話をしたい。

といっても、そもそもフィンランドには、保育園と幼稚園という区別がなく、義務教育が始まる前に通う場所は、まとめて「早期児童教育・ケア」と呼ばれ、教育省の管轄下にある。

フィンランド教育省によれば[1]、育休が終わったあと、子どもは「早期児童教育・ケア」施設（Päiväkoti ＝幼保一体施設）か、グループ家庭保育（Ryhmäperhepäiväkoti ＝複数の家庭の子どもを数人規模で保育する、日本でいうところの「保育ママ事業」に類似したもの）、小グループ保育（Kerhotoiminta ＝二〜五歳児が、市内の公園や保育園などで一日に三時間、週に一〜四日間参加できるクラブ活動）の三つを利用できる。また、三歳未満の子どもに対して、家庭内で保育する場合、一定の補助が出される[2]。

これらはすべて、基本的に自治体によって運営されたり、補助が出されたりする。昔から次第に確立されてきた多様な保育・幼児教育の形が、一九七三年の子ども保育法によって、自治体が提供するサービスの一環として一元化されたと言える[3]。

日本との最大の違いは、保育園に入る権利は、保護者である親の労働状況にではなく、子どもの教育を受ける権利に紐づいていることにある。言い方を変えれば、保育園に入るために子どもが「保育に欠ける」状態であることを示す必要はない。親が学生であろうが、主婦／主夫であろうが、働いていようが、子どもは基本的に保育を受ける権利がある（すなわち、自治体は保育環境を整備しなければならない）。

私は、ユキを産んだときは生後三カ月で、クマを産んだときは生後二カ月で、子どもたちを保育園に預け始めた（ただし、クマは保育園に入ることができず、八カ月になるまで一時預かりサービスを利用した）。早いうちから保育園に入れた最大の理由は、〇歳児の新年度から保育園に入園しなければ、保育園に入れない可能性が高いからだ。これもまた、保育園が労働者の就労を支援する施設及びサービスであることを反映している。働かなければならない親は、制度の上では、早く子どもを預けることができる。

ひるがえって、フィンランドでは男性にも女性にも産休があり、産休も育休も長い。女性の産休は一〇五勤務日間で、はじめの五六日間は給与の九〇パーセント、その後七〇パーセントが支払われる。男性の産休は五四勤務日間あり、給与の約七〇〜七五パーセントが支払われる。育休は両親のどちらかあるいは両方が取得することができ、女性の育休終了後から一五八勤務日間取得でき、給与の七〇〜七五パーセントが支払われる。[4] 産休・育休期間を合計すると、二六三勤務日間、おおよそ八カ月となる。したがって、自治体の保育サービスを利用可能になるのは、早くとも子どもが九カ月になってからということになる。

フィンランドでは、六歳から一年間、就学前教育（Esiopetus あるいは Eskari、Esikoulu と呼ばれる）を受ける。[5] 就学前教育は多くの場合、保育園で実施されるが、すべての保育園で就学前教育が実施されるわけではない。ということで、ちょうど二〇二〇年の三月に保育園を卒業して小学校に入学する予定のユキは、ヘルシンキの保育園で就学前教育を受け、クマは保育園に入園することになる。

一一月の間に、子どもたちの保育園の願書を提出した。子どもの氏名・生年月日・住所・母語（フィンランド語かスウェーデン語かそれ以外）、保護者の氏名・生年月日・住所、希望する保育園を五番目まで挙げ、保育園に通いたい曜日・時間、宗教やアレルギーなど、必要とされる配慮について記入した書類を、ユキとクマのそれぞれについて、二枚提出する。

同じ世帯なんだから一通で十分ではないかと思ったのだが、これもおそらく、保育園が「世帯の労働者が子どもを預ける」ための場所ではなく「子ども個々人が教育及びケアを受ける」ための場所だからだろう、と自分で自分を納得させた。でも面倒なことには変わりなかった。

1

ヘルシンキ市に限らず、フィンランド全土で保育園は四カ月前までに申し込むよう推奨されている。ただし、仕事や家庭の事情などで、緊急に保育が必要になった場合、自治体は申請から二週間以内に保育園を手配しなければならない。そのため、定義の上では、待機児童というものは存在しないことになる。そう、定義の上では。

クマは夏に生まれた。二カ月の産休が終わるころ、私は年度途中の入園ができないかと区役所に相談に行った。担当の職員さんは、とても困った表情を浮かべて、「あそこやったら、空きがあるんやけどねえ……」と言った。私たちが住んでいる家から、車でとばしても片道三〇分はかかる場所だ。しかも、私の出勤ルートと真逆の方向にあるし、ユキの通う保育園からもかなり離れている。だから、結局その「入れる保育園」というのは、私にとって「入れる」ところにはなかった。

こういう状態でも、定義の上では、待機児童は発生していない。保育園に入れようと思えば入れられるからだ。

これと同じ状態がヘルシンキでも起こり得る。私はユキとクマとが、同じ保育園に通ってほしいと思っていた。つまり、就学前教育を受けることができる保育園に二人とも通ってほしい。できれば住む場所の近くか職場の近く、あるいは通勤ルートにある保育園がいい。もちろん、保育園の雰囲気や先生方がどんな様子なのかも気になるところだが、下見に行くことができないので、その点にこだわることはできない。

ところが、最初に私が希望を出した保育園は四カ所ともすべて、今のところ空きがないと返事をしてきた。まさかヘルシンキで待機児童になるとは、と思ったのだが、これも定義上は待機児童ではない。

調べたところ、職場のすぐ近くに保育園が二カ所あった。しかし、どちらの保育園でも就学前教育は実施されていない。そして、フィンランドでは学年は八月半ばに始まり、五月末に終わる。ということは、ユキは三月半ばから五月末まで、就学前教育ではなく保育園に通うことになる。その場合、少なくともユキは、八月半ばには転園しなければならない。そして、私の住む場所はまだ決まっていない。

「ややこし!」と思ったけれども、ほかに選択肢がない。ということで、職場の近くにあるその二つの保育園に願書を出し、どちらからも受け入れ可能だと返事をもらった。より地下鉄の駅とバス停に近いところに入ることにした。

まだもう一つ問題が残っていた。住む場所だ。

1

ヴィサさん曰く、フィンランドでは、賃貸サイトを見て物件の見当をつけ、電話あるいはインターネットで内覧を申し込むか、内覧日に直接アパートなどに行って、気に入ったらその場で申込書を提出するのが一般的だそうだ。そうやって提出された入居申込書を見て、家主が望ましい人に連絡をとって、その人が入居する。そのため、ヘルシンキに来てすぐ、私は賃貸サイトを見ては内覧を申し込んだり、内覧日にアパートに行っては申込書を出したりしていた。

しかし、なかなか家主さんから色よいお返事がこない。フィンランドに銀行口座があってクレジットヒストリーのいい人から優先して契約される、とヴィサさんから言われたものの、クレジットヒストリーどころかまだ口座すらできていない私が、どうやってほかの人に優先して契約できると言うんだ。その間はホテルに泊まっていたが、職場から補助が出るとはいえ、そもそもの値段が高い。とにかく早く引っ越して落ち着きたかった。

五カ所ほど回って、何の音沙汰もなかったころ、私は同僚の韓国人の女性、ジヒョンさんに愚痴をこぼした。「なかなか住む場所が見つからないんですよー。ホテルも高いしー、このまま見つからなかったらどうしようかなーって。ハハハハハ」みたいなことを言ったと思う。

するとジヒョンさんはすぐさまこう言った。「なんてことでしょう！　うちの職場には社宅がありますよ！」

マジすか。めっちゃ初耳なんですけど。ていうか知ってたら最初からそこに申し込むよ！　なんで誰もそれを最初に言ってくれないんだよ！

ジヒョンさんは「すぐこの人に連絡しなさい。彼女がすべてやってくれますから」と言って担当者の名前とメールアドレスと電話番号を書いたメモを私にくれた。昼休みにそこに電話をかけたところ、「あらー大変でしたねー。じゃ、すぐうちの部署に来てください。今なら、うちが所有するアパートが、ヘルシンキ市内に二カ所空いてます。来てくださったら鍵を渡しますから、そこに見に行って、気に入ったほうに入居してください」と言われた。

鍵をもらいに行ったとき、私は「社宅があるなら、最初にそう言ってくださいよ……めっちゃ困ってたんですよ……」と言った。すると、担当の人は「大変でしたね。でも、困っているなら困っているとおっしゃってください。そうでなければ、私たちはあなたを助けることもできません」と言った。

1

そりゃそうだ。私はなんでも自分でやろうとするところに自信を持っていた。なんでも自分で判断し、自分で考え、可能なかぎり自分でがんばるのが、自分のいいところだと思っていた。今回は、この思い込みと行動の癖が裏目に出た。

もしかしたら、できるかぎり自分の努力で解決しようという発想が間違っていたのかもしれない。自立とは他人に頼ることだ、と学生時代に教えられたというのに。迷惑をかけないようにがんばるというのは、私は他人を助けないと自慢するのと同じことだ、と日頃は馬鹿にしていたというのに。

困ったら明示的に助けを求めないと、ここでは誰も助けてくれないのではないか。困っているのに助けを求められなかったのは、もしかしたら、私が社会というものを信用してないからなのかな。

いやそれにしても、普通、フィンランドに来たばかりの人だったら、住むところがないだろうとか、あれやこれやに困っているだろうとか、忖度してくれてもいいんじゃないだろうか。忖度ゼロって厳しいな。

そんなことを思いながら、アパートを二軒まわった。一軒目は、市電の駅のすぐ目の前にあって、にぎやかな街なかだった。二軒目のアパートの最寄りのバス停を降りたら、目の前は畑で、その向こうは森だった。迷わず二軒目に決め、その場で電話をかけた。「畑の中にあるほうにします」と言ったら「そこのほうがおすすめです」「ヘルシンキのカントリーサイドです」と言われた。これは褒めているのだろうか。

次の日、ジヒョンさんにお礼を言い、畑の中にあるアパートに住むことになったと言った。ジヒョンさんは笑って「私もそこに住んだことがあるよ。あそこね、人より牛のほうが多いよ。何かと牛を強調してくる」と言った。そういえば、アパートの近くにあった自転車屋さんの屋根には、牛のようなオブジェが置かれていた。もしかしたら、春先には堆肥の臭いがきついかもしれない。

五月になると、牛が牛小屋から畑に出される。牛たちは大喜びで畑を跳ね回るらしい。それを見るために、ヘルシンキじゅうからその畑に人々がやってくる。どんだけ娯楽がないんや。でもいいんだ。これでなんとか、子どもたちの日中の居場所と、寝て休む場所ができた。

1

このあと、二〇二〇年の三月から五月までは各種公共サービスが一時的に閉鎖されたり、アポイントをとらなければいけなくなったり、五月の半ばから九月の初めまで私たちが京都に戻ったりしていたので、私と子どもたちの住民登録を済ませた以外には何もできなかった。移住に関する手続きが先に進んだのは、二〇二〇年の秋になってからだった。

九月、モッチンがヘルシンキに来たときに、私は彼の住民登録を済ませようとした。私の住民登録は二月に、子どもたちの住民登録は三月に済ませていたけれども、本人が出頭しないと手続きできないうえに、住民登録のできるインターナショナル・ハウス・ヘルシンキは三月一八日から五月一三日まで閉鎖されていて、そのあと私たちは京都にいたので、なかなか手続きできなかった。

毎回、同じ書類（戸籍の原本＋アポスティーユ認証、戸籍の翻訳＋アポスティーユ認証、各人のパスポートと滞在許可証、私の雇用契約書）を持っていくのが面倒で仕方がない。どうして一回で全員が登録できないのか、なぜ本人の出頭が必要なのか、よくわからない。厳重すぎる。住民票の転出届は、世帯主が全員分できるのに。

と心の中で不満を言っていたら、なんと窓口で「この翻訳じゃだめですよ」と言わ

近所の牛

れた。なんでも、私たちが提出した戸籍の翻訳がフィンランド政府の認めた正式な翻訳者による翻訳ではないから受理できない、ということらしい。日本でフィンランド政府の認めた正式な翻訳者を雇えないことは知っている、だから今、ヘルシンキで新たに人を雇い直して、新たに翻訳した戸籍を提出せよと言われた。

いやいやいや、それ、いま言う!? 去年、日本で滞在許可証を取得したときには、この書類と翻訳でいいって言うたやん！　と言ったら「あれはフィンランド政府の発行する滞在許可証のための翻訳とアポスティーユで、今回はヘルシンキ市の住民登録だから関係ない」。まじで。

「でもでもでも、二月には私が、三月には私の子どもたちが、今回と同じ書類を持ってきたけど、あのときは何にも言われなかったし、二週間後には登録できたって連絡きたよ？　今回もいけるんちゃう？　なんで今回だけあかんって言われるん？」と粘ったら、窓口の女性は「あれ、おかしいな、あなたとお子さんは普通に登録できてる、なんでやろ？」と言い出した。よし、このまま押し切ろう。

「でしょでしょ？　だってそのときは何にも言われてないもん！　だから大丈夫だって。調べてみてください！　あとはよろしく！　キートス　パルヨン（おおきに）！」とお願いして帰宅した。

ちょうど家に着いたら、その窓口の人から電話がかかってきた。曰く、

「あなたとお子さんの住民登録ね、三月にあなたたちの登録を受理したハイジは日本語が読めて、それであなたたちの家族関係書類（＝戸籍）が問題ないってわかったみたい。今回も同じものをだしていることがわかったから、いまここにハイジもいるし、ハイジに確認も取れたから、翻訳をあらためて出さなくてもいいです」

何そのオチ。ハイジ、ありがとう。でもそんな気軽な感じでいいの？　ほんとに大

丈夫？　おしえておじいさん！

狐につままれたような気分だったけれど、そこから三週間ほどして、モッチンも無事に住民登録できたという手紙が、ヘルシンキ市から届いた。たぶん今回の件は、向こうにとっては「出した書類の日本語と英語が対応していることが証明できる」ことさえ満たしていればＯＫだということなんだろう。とりあえず無事に登録できたということで安心した。

次に必要になったのが、警察が発行する身分証明書（ＩＤ）だ。こっちにいると、病院の予約や予防接種の手続き、学校の入学や市営住宅の申込、学童保育の申請など、何かとオンラインでできる。でも、オンライン申請を可能にするためには、銀行口座に紐づいた銀行ＩＤなるものがないといけない。なので銀行ＩＤがほしい。

どうやったら手に入るのかというと、警察の発行するＩＤを手に入れて、銀行の窓口で、自分の持っている口座と連結させる手続きをしないといけないらしい。どうやったら警察のＩＤをもらえるのか知りたくて、ヘルシンキ市警察のオンライン・サービスのページにいくと、「あなたの銀行ＩＤを入力してください」と書いてある。いや、だから、それができたら最初から警察のサイトになんか来いひんっちゅうねん。

　というわけで、最寄りの警察署に電話をかけたら「そういうケースでしたら警察署に行ってください」と言われた。そして、警察署はヘルシンキ市に一つしかない。そんな少なくて大丈夫なの？　むしろ日本に警察署がありすぎなの？

　結局、ヘルシンキ市の警察署の窓口サービスが混み合っているようだったので、隣のエスポー市警察まで行って、ＩＤカードを申請してきた。パスポートと顔写真、滞在許可証を持って行って、窓口に並んで「外国人用のＩＤカードを作りたいんですが」と言って、お金を払うだけだった。本当なら二週間でできるはずのところが、なんと「カードのプラスチックがない」という理由で、四週間待つように言われた。

　そんなことあるんだろうか。今まで聞いたことのある言い訳のなかで最低の部類に入るんじゃないか。と思ったけれども、ほかに選択肢もないので、四週間待つことにした。すると、三週間すぎたところで携帯電話にエスポー市警から、カードができたとＳＭＳが届いた。

　ＩＤカードを手に入れたら、ようやく銀行にそれを持って行って、銀行ＩＤを作ることができる。もう九月になっていた。

この春には開いていなかった銀行の窓口に、今ではもう誰でも入って待っていられるようになっていた。受付でうろうろしながら待っていると、五〇過ぎくらいの女性から、中国語で話しかけられた。「中国語は話せないんです」と中国語で答えたら「それ中国語やん」。「このフレーズしか話せないんです」と英語で答えたら、彼女は笑ってグイグイ近づいてきた。

「中国人ちゃうの？　ほな、韓国人？　日本人？」「両方です」「なるほどな！　学生さん？　もしかして最近ヘルシンキに来た？」「まあだいたいそんな感じです」「そっかー。私は中国からここに来てもう五年ぐらい経つんやけど、あんたもう住民登録は済ませた？」「何とか終わりましたー。めんどくさかったですー」「あれ面倒やんなあ。登録し終わるのに二週間ぐらいかかんねんで。気長に待っときや。ここほんま何でも時間かかんねんか」「そうっぽいっすね〜」「あんた今日、銀行口座を作りにきたんやろ？　それもな、二週間ぐらいかかるで。今やったらコロナとか何とかいうてもっと時間かかるかもしれん」

などと会話しながら、そろそろこれ終わらないかなあ、と時計をチラチラ見た。すると、おばさんは「ほんであんた、何時からここで待ってる？　私、さっき受付で四〇分待ちって言われたんやけど、あんたあと何人待ち?」「二〇分前に来て、そのときは七人待ちでした。今であと二人です」「そんなもんか! ほなここで待つわ! 隣においで!」と言ってきた。違うんや。久しぶりにそんなグイグイ来られたら、ちょっとしんどいねん。そこ察して。と思ったけれども、絶対にこういう人は察してくれない。まあそれでいいんだけど。

私は今まで生きてきて、ナンパなるものをされたことがない。その代わり、自分より一、二世代上の人からグイグイ来られることがある。まさかヘルシンキでこの手の体験をするとは思っていなかった。もしかしたら、私の背後霊はけっこうシニアで、同世代を呼び寄せているのかもしれない。と思いを巡らせつつおばさんの隣に座ろうとしたら、ちょうど呼び出された。おばさん、再見!

こうして、ようやく銀行IDを手に入れることができた。これで子どもたちの予防接種の予約もユキの小学校入学手続きも、できるはずだ。

それから、フィンランドの免許証を手に入れようと思った。フィンランドに入国して二年以内なら、日本の免許証とフィンランドの免許証を交換してくれる(あとで在フィンランド日本大使館に私の免許証が送られ、大使館から私に返却される）らしい。

そのためにとりあえず健康診断を受けに行った。口頭で病歴を質問され、視力と聴力と血圧を検査して終わり。特に飲酒について質問されたけれど、「お酒を飲む頻度は？」と質問されて「料理に使うものを除くと、ここ半年は飲んでいません」と答えたらお医者さんが吹き出した。酔っ払うのに酒なんて要らん人もいるんやで。

さて、これであとは健康診断書とＩＤと写真をもって最寄りの運転免許センターに行くだけ、と思ったら、日本語で書かれた免許証の場合はフィンランド語の法定翻訳が必要だとわかった。またしても面倒だ。

だって翻訳者を見つけるところから始めなあかんし……そこまで運転するわけじゃないし……左ハンドルなんて怖いし……。むしろ差し迫って運転しないといけなくなったときに、フィンランドの自動車学校に行くほうがいいかもしれない。でも、自動車学校に通うと、免許を交換するのと比べて一〇倍ぐらいお金がかかる。

と思っていたら、在フィンランド日本大使館で免許の翻訳と、その翻訳のアポスティーユを出してくれることがわかった。しかしなぜかそれにかかる費用の支払いは現金のみ、お釣りなしと指定されている。ここだけめっちゃ日本文化やん。

日本文化といえば、以前、上司から「そうそうサラ、必要があれば人事課に行けば公式なハンコを押してもらえるからね！」と教えてもらった。ありがとうございます。ハンコもめっちゃ日本文化っぽい。日本の印章制度・文化を守る議員連盟があることが報道されたのは二〇一九年だけど。だいたいの「日本文化」なんてものは、ここ四〇年くらいの間にできたものだ。

1

子どもたちを寝かしつけながら、ふと思った。私はフィンランド語もろくに話せない。フィンランドに親しい友人や結婚相手がいるわけでもない。フィンランドにこれといった興味や思い入れがあるわけでもなかった。それなのにフィンランドに来てしまった。そして、このままずっとここにいようとしている。私一人で、この小さい人たちと。控えめにいって無鉄砲、普通にいって頭おかしい気がする。京都にいれば、誰も困りはしなかったのに。あのまま過ごせば、不満はあったかもしれないけれども、それなりに見通しのつく人生を得られたはずなのに。配偶者も子どもも振り回して、こんな寒いところで、私、何やってるんだろう。
でもたぶん、何とかなるはずだ。とにかく困ったら、はっきりと助けを求めたら、
きっと誰かが助けてくれる。誰も助けてくれなくても、保険とか何かで何とかなる。
たぶん。

2

VIP待遇

非常事態宣言下の生活と保育園

必要緊急essentialです。良い旅を。

――ヘルシンキの国境警備隊

二〇二〇年の二月、フィンランドではまだ、新型コロナウイルス感染症というのは、中国や韓国、台湾や日本が巻き込まれている厄介な感染症というくらいの扱いだった。私は、ダイヤモンド・プリンセス号のニュースを見て「えらいことになってるなあ」と思ったり、「ユキの保育園の卒園式は、この調子だとキャンセルされてしまうのかなあ、それはかわいそうだなあ」などと思ったりしていた。

ＷＨＯとＴＨＬ（Terveyden ja Hyvinvoinnin Laitos: フィンランド国立健康福祉研究所）の統計によれば、フィンランドで最初の新型コロナウイルス感染が判明したのは一月二九日で、中国からラップランドを訪れていた旅行者だった。二月二六日には、ミラノから戻ってきた女性が、新型コロナウイルスに感染してヘルシンキ市内の病院に入院した。

三月一日、ヘルシンキ大学教育学部付属小学校の二学年四クラスが閉鎖され、合計一三〇人が二週間の自宅待機を指示された。[1] 三月一〇日には、フィンエアーがヨーロッパ主要都市へのフライトをキャンセルし始めた。

その翌日には、アメリカのトランプ大統領がシェンゲン条約加盟国からアメリカへの入国を禁止し、フィンランド外務省は海外旅行を自粛するよう呼びかけた。しかし、その時点ではサンナ・マリン首相はＹＬＥ（Yleisradio Oy：フィンランド国営放送）の取材に

2

対して、フィンランドはまだ、いわゆる「ソーシャルディスタンシング」（社交距離）を要請する段階にないと答えていた。[2]

この状態が一転するのは、三月一四日になってからだ。YLEのニュースアーカイブを見る限り、この日の午後まで、フィンランドでは緊急事態法を発令することは躊躇われていた。しかしこの日の夕方四時、首相および主要五政党の党首は、緊急事態法を部分的に発令する会議を、明けて三月一五日に開催することを決めた。

子どもたちがヘルシンキに到着した三月一六日、フィンランド大統領サウリ・ニーニストとフィンランド首相（社民党党首）サンナ・マリンは、非常大権法（1552/2011）と感染症法（1227/2016）に基づき、非常事態宣言を発表した。内容は、教育機関の閉鎖及びリモート授業への移行（保育園児及び小学校三年生以下のみ登園・通学可能）、図書館・博物館・劇場・映画館・スポーツ施設など公共設備の閉鎖、テレワークの推奨、一〇人以上の集会の禁止、フィンランド国籍の保持者とフィンランドに滞在許可を持つ外国人以外の入国拒否と、入国後の二週間の自宅待機だった。

その後、飲食店の営業自粛が要請され、三月二五日からはヘルシンキおよび周辺の

ロックダウン前のヘルシンキ港

首都圏を含むウーシマー県とほかの地方との自由な移動の自粛も要請された（仕事で必要な場合や、個人的に必要緊急の事情がある場合は移動できた）。当初、これらの閉鎖や自粛要請は四月一三日までの約一カ月間のみ有効とされたが、四月に延長されて五月一三日まで有効とされた。

と、こんな具合だったのに、子どもたちが三月一六日に入国した時点では「明日にはお子さんたちの住民登録に行ってくださいね」と言われ、地下鉄とバスに乗ることも制限されなかった。

ところが、次の日には職場とヴィ

2

サさんから連絡が来て、海外に出た人は二週間の自宅待機をしなければならないこと、インターナショナル・ハウス・ヘルシンキが一時的に業務を停止することを伝えられた。保育園からも連絡が来て、二週間は登園を自粛してほしいとのことだった。

スーパーへの買い物も回数を減らし、大人数では行かないように呼びかけられていたが、宅配サービスを頼もうにも、近所のスーパーでは配達員が足りなくて、配達できなくなっていた。結局、なるべく空いている時間に買い物に行き、一日二回か三回は散歩して、ご近所から安く買った電子ピアノで保育園のお遊戯の曲を弾いて、ユキとクマに遊んでもらうことにした。

そして、フィンエアーは次々と飛ばなくなってしまい、モッチンの予約していた関空への便もキャンセルされてしまった。彼はなんとか代替便を見つけて、一週間そこそこで京都に戻った。おもちゃも絵本もまだ届いておらず、子どもを連れて行ける公共施設も、屋外の公園以外は全部、閉まってしまった。近所に森と畑があって、木に登ったり、岩に登ったり、森の中でいろんなごっこ遊び（冒険ごっこ、キャンプごっこ、動物ごっこなど）ができて、まだラッキーだった。

私が「ほんま、どこもかしこも閉まってるわ。図書館も動物園も遊園地も連れて行ったげたかったのに、ごめんなあ。父ちゃんに次いつ会えるかわからへんし」と言ったら、ユキが「ほな三月に来といてよかったな！　今やったら来れへんやん？　せやし、よかったな！」と言ってくれた。そのときは「なんてポジティブシンキングな六歳児だろう」と思ったのだが、あとになって私に気を遣ってくれたのだと気づいた。

こういうのは何というのだったかしら。辞書によれば、健気とは「主に非力なものの振る舞いが甲斐甲斐しい様子」、「年少者や力の弱い者が困難なことに立ち向かっていくさま」らしい。うん、健気だ。

二週間の自宅待機が終わり、子どもたちは三月三一日から保育園に通い始めた。ユキもクマも、フィンランドの保育園に通うのは、二年ぶり、二回目だ。前に通っていた保育園は、ユヴァスキュラという中部地方の街の、中心地に近いところにあった。それでも、敷地も園庭も広くて、夕方に迎えに行くと、子どもたちを探し当てるのにひと苦労した。

今回、春に通った保育園も、ヘルシンキの街なかにあるにもかかわらず、敷地が広いような気がした。〇歳～二歳児・三～四歳児・五～六歳児のエリアがそれぞれあり、

2

各エリアに二つのクラスがある。エリア同士の間には扉があって外からも出入りできる。クマは〇～二歳児エリアにある二歳児クラスに、ユキは五～六歳児エリアにある六歳児クラスに、それぞれ入った。利用時間は朝の八時から午後三時半までにした。

登園一日目、ユキはすっかり保育園に慣れた様子を見せて担任の先生たちを驚かせた。クマは、いきなり言葉の通じない保育園に放り込まれて、気持ちのうえでも体力のうえでも大変だったようで、昼にお迎えに行ったところ、疲れ果てて寝ていた。クマは私と別れてから一時間ほど泣き続けたあと、疲れて眠ったということだった。

その日、お迎えに行ったあとで、フィンランドで保育園に通い始めるとき、一週間は子どもと親が一緒に過ごして、徐々に子どもを保育園生活に慣らしていくものらしいと知った。だから、私が初日にさっさとクマを預けて「じゃ、あとはがんばれ！そのうち慣れるで！」と出て行ってしまったのを見て、クマよりもむしろ先生たちが驚いたらしい。

ということで、次の日はお昼ごはんまで一緒にいて、お昼ごはんを食べたあとに帰り、その次の日はお昼寝まで一緒に過ごして、お昼寝の間だけ保育園に預けた。正直いって「これじゃ仕事ができないぞ！　何のために保育園に預けているんですか！」

と言いたくなる。

思い出せ私、フィンランドでは、保護者の仕事があるから保育園に預けているんじゃない。子どもが教育を受けるためなんだ。親の仕事＜超えられない壁＜子どもの教育、なんだ（たぶん）。

二年前にも感じたことだけれども、フィンランドの保育園では、教員（日本だと保育士・幼稚園教諭にあたる人たち）の数が多い。法律および関連する政令の上では、教員と子どもの比率は三歳児まで一対三、三〜五歳が一対八、就学前教育では一対一三までと決まっている。

なお日本の保育園の配置基準は、〇歳児なら保育士と子供が一対三、一〜二歳児なら一対六、三歳児なら一対二〇、四歳と五歳児なら一対三〇だが、ユキとクマが京都で通っていた保育園では、二歳児まで保育士と子どもが一対三、三〜五歳児は一対一〇くらいだった。

でも、ユキとクマが通ってきた保育園ではもっと多くの先生たちが配属されている。

特に二〇二〇年の四月・五月は不要不急の登園は自粛してほしいと言われていたので、登園者も非常に少なくなっていた。ユキのクラスにもクマのクラスにも、それぞれ四

2

人の先生たちがいたけれども、四月中は、登園している園児の数と教員の数がほとんど同じか、日によっては教員の数のほうが多いときもあった。

先生たちは、子どもを園庭で遊ばせるか、お散歩などで保育園の外に出るとき以外は私服なので（園庭や保育園の外に出るときは、園児も教員も背中に「ヘルシンキ市保育園」と書かれた蛍光色のベストを着ている）、一見すると園児の保護者と見分けがつかない。

ユヴァスキュラの保育園に初めて子どもたちを預けたとき、朝も夕方も保育園に保護者がいると思っていたら、先生だとわかったことがある。ロングヘアで無精髭を生やし、髑髏《どくろ》マークのついたタンクトップを愛用していた男性を、パッと見て保育士だと理解するのは無理だと思う。いや私の偏見のせいではあるんだけど。

社宅は職場から片道三〇分かかる。つまり、職場のすぐ近くの保育園に通うには、片道三〇分かけてバスに乗らなくてはならない。そして、私がヘルシンキに戻ってくるなり、職場はテレワークに移行して、よほどの事情がないかぎり建物内立ち入り禁止になってしまった。こんなことになるとわかっていれば職場最寄りの保育園にはしなかった。でもこんなこと誰が予想できただろう。

家と保育園の間を行き来するバスは、毎朝ほぼ貸し切りだった。子どもたちは

YouTubeで関西電気保安協会のＣＭを見て以来、私にそれを再現するよう、ほぼ毎朝リクエストしてきた。だから、あの路線のバスの運転手さんたちはきっと「あのアジア系の母子は、毎日毎日同じ歌を歌っているけど、あれはいったい何の歌なんだろう」と思ったんじゃないだろうか。

違うんです、あれは歌じゃないんです。「かんさい　でんきほ～あんきょ～かい」と言っているだけなんです。あと私は別にふざけた人間でもなんでもなく、日頃は冗談も言えないような、極めて素朴で実直な人間です。などなどと弁解したいのだけれども、今となってはその手段がない。

ところで、ヘルシンキ市の市営保育園を利用すると、それぞれの保育園から利用時間と利用日数が市に報告され、あとでヘルシンキ市から保育料の請求書が自宅に送られてくる。一カ月利用して、二人で五六〇ユーロ以上かかっていたので、なんだか噂に聞いていたより高い気がした。ヘルシンキ市の教育課に問い合わせたら、担当の人から「それはあなたが収入申告してなかったから、一番高い収入に設定されてるんですよー」と言われた。

そういうこと最初に言ってよ！

結局、すぐに給与明細をメールに添付して市の保育課に送ったところ、新しい保育料の情報と、今までの保育料の請求を取り消す書類と、すでに払ってしまった分を払い戻すための書類が送られてきた。結果として特に問題はないことになったのだけれども、いったい何のために個人番号があるんだろうか。

2

四月から五月半ばまで、たった一カ月半だったけれども、この小さな保育園で、ユキとクマはとても丁寧に見てもらえたと思う。なにせ園児がいない。先生たちは今まで通りたくさんいる。

毎朝、バスに乗ってお話をしながら保育園に向かい、保育園の門を開けて、園庭を通って、まずクマのクラスに向かう。靴の泥を落として、靴を脱いで、上履きに履き替えて、私もクマも手を洗って、今日の体調を口頭で先生たちに伝える。クマと別れたら、いったん外に出て園庭を通ってユキのクラスに向かう。ユキも靴を脱いで、手を洗って、担任の先生たちに体調を伝えたあと、お別れする。

お迎えに行くと、クマの担任のアントニ先生と、ユキの担任のソフィア先生が、二人が今日どういうふうに過ごしたか教えてくれる。ソフィア先生は私よりずっと若く見える、とてもチャーミングな女性で、ユキはひと目でソフィア先生を好きになった。毎日お迎えに行くと、ソフィア先生はユキが今日、何をどれくらいがんばったか教えてくれた。

アントニ先生は、いかついスキンヘッドの男性で、ほとんど表情は変わらないけど、目は優しそうで、日本語を話す。「すごーい、たまたま日本語の話せる先生が担任になってくれるなんて、ラッキーなこともあるのね」と思っていたら、ラッキーでも何でもなく、アントニ先生はクマが通っている間だけ、クマのために一時的に来てくれているとわかった。すごいVIP待遇だ。

クマはすぐアントニ先生に懐いた。クマが朝にお別れを渋っていても、アントニ先生が部屋から出てきて、「クマ、おはよう。アントニは、クマを、待ってた」と言うと、さっさと私から離れて、ホイホイとアントニ先生について行った。なお、アントニ先生に「どこで日本語を学ばれたんですか?」と質問したら、真顔で「アニメ」と答えてくれた。

2

ソフィア先生は、ユキについて、「何にでもチャレンジして、エネルギッシュで素晴らしい」と言ってくれた。私は、ユキは集中力はすごいけど、できないことがあるとすぐに挫けると思っていた。アントニ先生は、クマについて、「一つの遊びを一五分も続けられる。集中力があるんですね」と言ってくれた。私は、クマはエネルギッシュだけど、どんなことでも二秒で飽きると思っていた。二人の担任の先生が教えてくれたのは、私が見ていたのとはまったく逆の二人の様子だった。

ユキは毎日、ヴィスカリ Viskari なるものを受けていた。ソフィア先生の話を聞く限り、内容は就学前教育とほとんど変わらないが、より簡単で、フィンランド語の単語を学ぶ時間のようだった。ユキは毎日、フィンランド語の歌や単語を覚えて帰った。

ユキが「牧場に住む生物と森に住む生物」という分類について一生懸命に説明してくれたこともある。私が今まで聞いたことがなかったような分類方法だ。保育園からの帰り道、バスの中でユキがいきなり、「母ちゃん、三角はコルミオって言うねんで。ユクシ（yksi＝1）カクシ（kaksi＝2）コルメ（kolme＝3）やろ？　せやしコルミオやねんで。ほんで四角はネルヨやで。ネルヤ（neljä＝4）やから」と言いだして、私がびっくりしたこともある。

勉強していたのは、数字や単語だけではなかったようだ。あるとき、いつものようにユキに「今日はどんなことしたの？」と質問したら「嫌なことの勉強」「お墓とか、ウサギがどっか行くとか」。意味がよくわからないので、次の日にソフィア先生に聞いたところ、毎週一回、日々の体験からいろいろな感情を言葉にする練習の時間というものがあるらしい。

あるときは実は「嬉しい」を勉強したらしいのだけど、ユキは「お誕生日の話はしたけど、そんなんやったかな？」と今ひとつわかっていない様子だった。フィンランド語はほぼわからないから仕方ない。その次の週には「寂しい」を言語化する練習をしたらしい。私も受けたい。

それから、毎週末になると、その週に保育園で使った教材（切り紙やイースターの工作など）のＰＤＦが、メールで保護者に送られてきていた。登園を自粛していてもお家で楽しめます、ということらしい。遊び方の手順も付いていた。

三月に非常事態宣言が発令されてから五月半ばまで、職場（といってもリモートワークなので家にいるのと同じだけど）でも保育園でも、「コロナ」とそれがもたらした「例外状態」という言葉ばかり聞いた。

日本にいる知人や友人たちからは、三月からの突然の休校で家庭も学校も混乱し、疲れきっているという知らせや、飲食店が閉業してしまった話や、ドイツのアンゲラ・メルケル首相の感動的な演説を褒め称えるニュース記事や、翻って日本の政府はいかがなものかと批判する言葉を、たくさん聞いた。

SNSには、フィンランドのマリン首相が、ドイツのメルケル首相やニュージーランドのジャシンダ・アーダーン首相と並んで、リーダーシップを発揮して新型コロナウイルスの抑え込みに成功したと褒める画像も流れてきた。

では、実際のところ、フィンランドは新型コロナウイルスによる被害をどの程度うけ、どのように対応したのだろうか。

フィンランドは、WHOによるパンデミック宣言が出されたあと、いわゆる「ロックダウン」と幅広く呼ばれる状態に入った。ただし、フィンランドの「ロックダウン」なるものは、フランスやスペイン、イタリアやイギリス、ドイツと比べると、かなり違うものだった。

まず、レストランと学校、公共施設以外は、政府による閉鎖はされなかった。それ

2

に保育園と就学前教育、小学校三年生（こっちでは一〇歳）以下の児童は登校・登園可能だったし、学校給食も提供されていた。ただし、一〇人以上での集会や屋内でのスポーツ活動は禁止された。

ヨーロッパでは珍しく、マスク・医療品の不足は問題にならなかったが、起こりうる戦争に備えてずっと備蓄は続けていたから、という理由らしい。[3] それでも、ヘルシンキおよびウーシマー地域の病院では、マスクをはじめとする個人用防護具が足りなくなって、中国から平時の一〇倍の価格で購入した。[4]

そして一週間後、それらのマスクはフィンランドで求められる水準を満たしていないと判断された。[5] しかも、結局このお金を誰がどう支払ったのかをめぐって、セレブ美容家と消費者金融の会社経営者がもめるという騒動もついてきた。[6] 結局、この件が理由で、国家緊急供給庁の代表トミ・ロウネマが辞任した。

フィンランドでは、三月一八日に国境が閉鎖されたとはいえ、滞在許可をすでに持っている外国人なら、その日以降も出入国は可能だった。しかし、緊急事態宣言を発令し、国境を閉鎖したにもかかわらず、政府が三月末まで海外からの帰国者に対して何の検査もせず、ホテル等の借り上げもなく、帰国者が公共交通機関を利用可能な状態にしていたと批判された（四月からは政府が空港近辺のホテルを借り上げ、海外からの帰国者のうち滞在先のない人に関してはそこに二週間滞在できることになった）。

ロックダウン中だというのに政府からの補助金が少ない、ということで、主要都市（ヘルシンキ・エスポー・ヴァンター・タンペレ・トゥルク・オウル・ユヴァスキュラ・ヨエンスーなど）が政府に抗議し、今のままの補助しかもらえないのなら今年の地方税を納めないと抗議したり、それに対して首相が、常に三カ月分の医療品や食料は備蓄しておけと日ごろから言っているはずだ、地方は準備不足だと批判したこともあった。

こういうゴタゴタの数々は、報道されている最中には「どこでもあるよねえ、こういうこと」と思いながら聞いていた。私より若い人が、うちの子どもたちより小さい子を育てながら、総理大臣に就任して三カ月でこんな事態に対処しなくちゃいけないだなんて、想像しただけで目が回りそうだ。四月三〇日には、マリン首相は政府の初動に問題があったことを認め、その問題を記録する重要性を確認した。

二〇二〇年三月二〇日の時点で、フィンランドで確認された、新型コロナウイルスによる死者は計七人（日本＝三三人）だった。それが三月末には五七人（日本＝五六人）、四月一五日に一八二人（日本＝一一九人）、五月一日に二五九人（日本＝四三二人）、五月一五日には二九六人（日本＝七一〇人）に上った。[7] 二〇二〇年にフィンランドの総人口は約五五三万人で、六五歳以上人口の占める割合は二二・六パーセント、[8] 六月一日時点で、人口一〇万人あたりの死者数は五・七人だった。

これに対して、日本の総人口は約一億二五八四万人、六五歳以上人口の占める割合は二八・四パーセント、[9] 同じく六月一日時点で、人口一〇万人あたり死者数は〇・七一人だった。つまり、人口あたりの死者の数だけを比較するなら、フィンランドの状況は——日本よりはるかに人口密度が低く、ほんの少し高齢化率も低いにもかかわらず——八倍以上だった。

では、補償の金額や仕組みはどうだろうか。YLEの報道によれば、三月二〇日には企業の倒産防止、個人事業者への支援などを目的とした一五〇億ユーロ（約一兆七九二〇億円）の支援パッケージが発表された。そのうち一部は貸付金に、また一部は労働市場支援に当てられるということだった。[10] 二〇二〇年の残りの九カ月間は年金積み立てが減額され、児童手当と失業保険が増額されることが決まり、ワクチン開発にも五〇〇万ユーロが当てられることになった。[11]

これに対して、日本では四月六日に総額一〇八兆円規模の緊急経済対策を実施する

2

ことが発表された。そのうち、低所得者世帯や、中小・個人事業者らへの現金給付は六兆円を超え、中小企業には二〇〇万円、個人事業者には一〇〇万円が支給されることがわかった。そして、住民票に記載されている一人につき一〇万円が給付されるほか、児童手当として、子ども一人当たり一万円が上乗せされた。それに加えて、都道府県単位で「新型コロナウイルス感染症拡大防止協力金」「休業等要請協力金」といった名称で、企業への補償金がある。また社会保険料・公共料金等の支払い・納付の猶予が認められる場合もある。[12]

人口あたりの死者数と、補償の規模を比較すると、日本のほうがフィンランドより状況がいいように思える。フィンランドでは、国民全員に一〇万円だなんて、話題にも上がらなかった。フィンランドの小学校三年生以上と比べると、日本の臨時休校は短時間だった。そして、イギリスやフランス、スペインやイタリアなど他のメジャーなヨーロッパ諸国と比べると、フィンランドの死者数や自粛（規制）の程度は、ずっとましだった。

日本と比較すると、EU加盟国では総じて、新型コロナウイルスによる死者は多く、規制をかけるのは遅く、規制の程度は強く、しかし休業等の補償は手薄かった。

このときからずっと、気になっていることがある。
私は日本にいるとき、ずっと息苦しいような、とてもひどい社会に生きているような気がしていた。その感覚は嘘ではない。実際に、二〇二〇年の三月から四月にかけて、日本に住んでいた知人や友人の心理的な負担感や閉塞感は、まぎれもなく本当であり、それは自殺者の数となって現れている。
二〇二〇年五月、シンガポールのブラックボックス・リサーチとフランスのトルーナが共同で実施したオンライン調査の結果を見ると、政治、経済、地域社会、メディアの四分野でそれぞれの指導者の評価を指数化したところ、日本は全分野のいずれも最下位、総合指数も最低だった。[13] それに対して、トゥルク大学が同年五月六日から一日にかけて行ったオンライン調査では、一〇〇〇人の回答者の六〇パーセントがフィンランド政府の対応に「とても」あるいは「それなりに」満足していると回答した。[14]
数字を比較すると、「うまくやっている」とされる国の状態より、日本の状態はいいように思える。もちろん、韓国や台湾と比較すれば、日本における新型コロナウイルスによる人口あたりの死亡率は高い。しかし、韓国も台湾も、日本よりはるかに

2

個々人の日常生活に強い制限をかけ、人々を監視の下に置いている。

二〇二〇年の春に、日本で新型コロナウイルス感染による死者が少なかったのは、医療の現場や介護の現場において、そして飲食店や旅行業界や教育・保育の現場や個々の家庭で、懸命な努力がなされていたからに違いない。

けれども、人口あたりの死者の数の違いは、当時の政権の無為無策にもかかわらず、現場の人々の努力だけでもたらされたのだろうか。もしそうだとするなら、そんなにも努力する素晴らしい人々が、そんなにも無為無策の政権を生み出し支持し続けていることになるのだろうか。

私たちが苦しい理由は、私たちが思っていることと、違うところに起因しているのではないか。

この疑問が、二〇二〇年の三月から、私の頭を離れない。

⚘

五月一日のメーデーは、フィンランドではヴァップVappuと呼ばれる。本当ならその前の日から飲み歩く人でにぎわい、メーデー当日はあちこちでお祭り騒ぎらしい。なんだか新聞やＳＮＳで、店のウインドーで、ヴァップという言葉をよく見かけたので、ソフィア先生に「ヴァップって、何をするんですか？」と質問したところ、ソフィア先生はわりと得意げに「ピクニックです」と答えた。たかがピクニックでそんなにみんなが期待を膨らませるなんて、フィンランドにはそんなに娯楽がないのか。

しかも、二〇二〇年の五月一三日まで一〇人以上の集まりは禁止されていたので、ヘルシンキ市のウェブサイトでメーデー番組を見ることにした。いったいどういうものなのか、私もわりと好奇心と期待を持ってＰＣ画面を見ていた。

すると、画面に次々と労働者的な人々が出てきた。どうもそれぞれの職場にいるようだ。クリーナーさん、看護師さん、工事現場の人、という並びからして、リモートワークができない状態で働いてくれている人々が、それぞれの職場から歌った映像をつなげたように見える。

たしかに、メーデーだから、労働者が歌うのは正しい。でもなぜみんなそんなに直立不動で真顔なのか。これ、どうやって見たらいいんだろう。

そのあとしばらく見てみることにしたのだけれども、派手な服を着たおじさんとおばさんが歌う映像と、無表情なおばさんが体操する映像が続いたところで、私が「これまだ見たい？」と質問してしまった。子どもたちは「どっちでもいい」と答えたので、PCの電源を切り、まだ寒かったけれども、森に出かけた。

ヴァップが終わったあと、園長先生に「木曜日、お時間よろしいですか？」と言われた。何事かと思って緊張しながら行ったら、ユキの就学前教育についての説明だった。

保育園を卒業したら一年間は就学前教育を受けなければならないが（一日四時間＋必要な子どもは保育）、そこに一時間の就学前教育準備学級なるものを加えることができる、という。小学校での勉強についていけるくらいのフィンランド語力を身に付けるのが目的だそうだ。「準備学級を希望されますか？」と質問されたのだが、希望も何も、「ぜひお願いします！」と申し込んだ。

どんなことをするのかなあ。私も一緒に通いたい。私も職場でそのうち提供されるらしいフィンランド語講座を受けないといけないんだけど、子どもたちが保育園から帰ってくる時間にしか開講されていない。あれを私が受講できる日は来るんだろうか。

・

新型コロナウイルスは、フィンランドじゅうの人々を平等に襲ったわけではない。フィンランドのなかで感染者が多かったのは首都圏、なかでもヘルシンキ市だった。そして四月半ばの時点で、ヘルシンキ市の新規感染者の五人に一人はソマリア系だった。

フィンランドは歴史的には移民を受け入れてきた国ではない。日本と同じで、戦前はエストニアやソ連から移民を受け入れたものの、戦後はほぼ鎖国状態に入り、一九七〇年代まで難民もほとんど受け入れて来ず、フィンランドで移民というとフィンランド人の海外移住者を指した。一九七〇年代に入り、インドシナ難民を受け入れたあたりから難民受け入れが始まるが、ソマリア系は難民として、主にヘルシンキとその周辺都市圏でコミュニティを作ってきた。[15]

ＹＬＥの報道によれば、ヘルシンキのソマリア系コミュニティに暮らす人々は、バス運転手やクリーナー、ケアワーカーなど三密要素の多い仕事についている割合が高く、三世代が二部屋程度のアパートに住んでいることも多い。ソマリア系ヘルシンキ市会議員スルダーン・サイード・アフメドは、ヘルシンキのソマリア系コミュニティおける新型コロナウイルスの蔓延は、フィンランドにおける階級の問題だ、とコメントしていた。[16]

2

社宅からバスで一〇分くらいのところに、ヘルシンキの中では中東系・アフリカ系住民が多い地域が三つある。そのうち一つの地域には、大きなショッピングモールも映画館も、ハラール食材店もアジアンスーパーも百均のような雑貨屋さんもある。四月に入ってようやく外出できるようになったので、何かと買い出しに行った。もともとベールをかぶっている女性を見かける地域だけれど、マスクを着けている人も増えた気がした（というか、前はマスクをしている人なんて一人もいなかった）。

一〇〇円均一のような雑貨屋さんで、子ども用に小さな鉛筆削りを買おうとしたら、お店のおじさん（茶色い肌で、髭がもじゃもじゃの男性）が、すごい迫力と大声で「ディスインフェクション（手指消毒剤）？」と私に尋ねた。

何それ、と思って「ミタ（mitä＝何）？」と言ったら「お宅の子！　子どもってどこでも触るでしょうが！　ディスインフェクション持ってないとだめでしょ！　いつでも！」と叫びながら、まさに私の隣で床を触っていたクマの手を突然とってアルコールティッシュのようなものでゴシゴシ拭いた。

驚くユキ、泣き出すクマ、感謝する私。おじさん、ありがとう。あそこの雑貨屋さん、安いけどおじさんが怖そうだよなー、なんて思っていてごめんなさい。ということで、ついでにディスインフェクションも買って帰った。

いつ「ヘイ、コロナ！」と呼ばれても「ワッツアップ？　レイシスト！」と言い返せるように日々イメージトレーニングを欠かさずにいたのだけれども、今に至るまで、まだ誰からも何も言われていない。

ある日の朝は、通りすがりのサイクリスト(高齢男性)が、私と子どもたちに手を振りながら、笑顔で「ニーハオ！　レッツステイヘルシー!!」と声をかけた。ありがたいけど、笑ってしまった。

五月一〇日を過ぎると、ヘルシンキの街中に行く道が混み始めてきた。それまでも、テレワークが推奨されたり、公共施設は閉鎖されていたけど、建設やスーパーなどの業務はそれまで通り行われていたようだったし、バスや地下鉄もそこまで便数を減らしたわけではなかった。それでも、五月の二週目に入ると、保育園の子どもの数が二割増くらいになったようだった。

六月からはレストランも営業が再開されると報道され、日が長くなるとともに、や

2

や長かった冬（私の体感としては冬。こっちの人としては春）が終わりそうな感じだ。YLEのポッドキャストを聞いていたら「来月から何を楽しみにしていますか？」とレポーターが質問したのに対して、コメンテーターが「テラス席で一人でビールを飲みたいですね」と答えていた。それは、家のベランダでできるやろ。

五月半ばに、私たちは一度、京都に戻ることにした。京都でユキの通う予定だった小学校は、六月一日から再開することになっていた。日本に戻って、二週間は自宅で待機することを考えると、五月半ばに日本に入国するのがちょうどいいと思ったからだった。私はテレワークできるし、それに何より、三月後半から二カ月しか経っていなかったけれども、私がこれ以上一人で子どもたちを見るのは難しいと思った。

特に縁もゆかりもなく、親戚も友人もいないところで、仕事をしながら一人で子どもも二人を育てるのは、大変だろうとは思っていた。でも、きっとこっちの人と交流しつつ、京都とヘルシンキを行ったり来たりしていれば、二年くらいでだんだんと慣れてくるだろうと思っていた。子どもたちが到着するなり、交流も行ったり来たりもできなくなるとは思っていなかった。

大変すぎてむしろウケるでこれ、とモッチンには話していたし、いくら私がバカでも、私よりもっと大変な状況に置かれた女性たちが、日本にもフィンランドにもたくさんいることくらい知っている。でも、このときは自分の状態を笑うしかないんじゃないかと思うくらい余裕がなかった。

五月に入ってすぐ、先生方に、五月の途中で退園すると伝えた。園長先生は、八月にヘルシンキに戻ってきたら、家から一番近い保育園に通えるように手続きしてくれていた。彼女は、私と子どもが三月にヘルシンキにやってきて以来、三日おきくらいにメールを送ってきてくれていた。

初めて登園した日に、私が「この時期だから、登園を自粛したほうがいいのかもしれませんが、どうでしょうか」と質問したら、「いま登園は自粛してって言われてるけど、気にせず来てくださいね、それがあなたにも子どもたちにも必要だと思います」と言ってくれた。泣くかと思った。

ソフィア先生は、ほとんどユキの家庭教師のように、ユキにフィンランド語を教えてくれた。それから、三～四歳児エリアに日本人の女性の先生（よしえ先生としておく）がいて、自分のクラスの子どもでもないのに、毎日ユキとクマの顔を見て、日本語で二人とおしゃべりしてくださっていた。

よしえ先生は、お迎えのときに毎日、私にユキとクマの様子を教えてくれた。あれは、子どもたちの様子を私に報告してくれているだけじゃなくて、私の様子も見てくれていたんだと思う。あのときに、園長先生とアントニ先生とソフィア先生とよしえ先生が、どれだけ私を助けてくれたかわからない。

五月なかばには京都に戻る、八月になったらヘルシンキにまた来るけど、そのときから別の保育園に通う、と伝えたら、ユキは「ここの先生たちが好きやから、もう一年ぐらいここに通いたいわー」と答えた。クマは、そう伝えたら毎日「ボクハ、五がつニナッタラ、トウチャンにアイニきょうとニイクンダヨ！」と言い始めた。お父ちゃん子め。

五月一六日、フィンランドではまだ、EU圏内でも不要不急の海外旅行は自粛せよと言われていた。出国するときには、国境警備隊が一人ずつパスポートを確認して、渡航目的を質問していた。私たちも質問されたので、「父親に会う、ですけど……不

2

要不急ですかね」と答えたら「必要緊急essentialです。良い旅を」と言われた。

私は仕事関係の用事以外は不要不急だと思っていたので、家族に会うのも不要不急だと思っていた。保育園に子どもを預けるときと同じだ。日本とフィンランドとでは、少なくとも出入国と保育園に関して、優先順位が違う。

コラム1

ヘルシンキ市の公共交通機関と子ども車両

フィンランドは車社会だそうだ。しかし私は今のところ、車を持っていない。京都市で生まれ育った人々の多くは、たぶん自転車さえあればどこにでも行けると信じている。それがヘルシンキであっても。というわけで、私も自転車以外の交通手段を持ったことがない。車の免許は持っている（しかもMT）。そして運転は嫌いではない。でも車、高いやん。

というわけで、ヘルシンキに引っ越してきて一年、私はまだ車を持っていない。ユキとクマとお出かけするときは、バスと電車・地下鉄に乗るか、自転車で駅まで行って、自転車ごと電車に乗る。

ヘルシンキ市内のバスは、今のところ、ベビーカーと一緒に乗ると無料だ。でも私はベビーカーも持っていない。歩ける年齢に達したからには自分で歩いてほしい。こっちでは五歳か六歳くらいの子どもでも、ときどきベビーカーに乗っているのを見かける。二歳のクマがけっこうな距離を歩いているのを見た通りがかりのお年寄りから「Supertähti（スーパースター）!!」と褒められたことがある。普通じゃないでしょうか。

これまで、子連れで公共交通機関に乗るといろいろなことが起きた。京都から大阪に向かう電車の中で、あるいは京都市内の地下鉄で、ユキは何度か見知らぬおばさんから飴をもらった。ソウルと釜山の地下鉄では、見知らぬおじいさんがユキとクマにチョコレートや飴をくれた。シンガポールに行ったときには、電車の中で向かいの席に座っていた見知らぬおじいさんがやおら立ち上がり、ユキの鼻水を拭いてくれた。

ヘルシンキでは今のところ、そういう出会いはない。というか、ほとんど誰も、お互いに目を合わさない。

でも、だからと言って公共交通機関を利用する人々が子連れに冷たいわけではない。週末、どこかに外出すると、帰り道でクマが疲れて眠ってしまうことが何度かある。そのたびに人々の「あの子、寝てるぞ……」「お母さん、どうするんだろう……」「抱っこしたぞ……」「あっ、子どもが起きた……」と漫画『カイジ』の「ざわ…… ざわ……」と文字を当てたくなるような視線を感じる。見守っていただけるだけでなく、助けてくださっていいんですよ！ と思うけど、明確に助けを求めないかぎり助けてもらえないいんだろうな。

私がフィンランドの公共交通機関で好きなものは、長距離電車についている子供車両（正式な名前ではなく、私がそう呼んでいるだけ）だ。どういうものかというと、普通の二階建ての車両の二階部分の前半分に、簡単な滑り台とベンチ、絵本、小さな知育おもちゃが備え付けられている。その車両は保育園児かそれ以下の子どもが乗ることが前提されているので、廊下を子どもがハイハイしようが、大声で泣こうが、お互いさまだ。

だから、長距離を移動するときに「じっとしてなさい！」「静かにして！」と、親がずっと叱りつける必要がない。じっとしていられないのだから、そこの滑り台で滑ってきていいよ。静かにできないんだから、そこの絵本を読んであげるよ。

と余裕を持って接することができる。

こんな車両が日本の新幹線にもあればいいのに。少しどこかに余裕を持って、少し工夫をしてもらえば、みんながギスギスしないで楽しく旅行ができる。お金がないか。っていうか子連れは公共交通機関を使って旅行するなとか、子どもを静かにさせられない親なら子どもなんて産むなとか、そういう感じだろうか。

おおまかな工夫をすることによって多様なニーズに応えられるのと、そのおおまかな工夫のなさを個々人がイライラしあったり責めあったりしてカバーするのと、どっちが好きかと言われたら、私は前者のほうが好きだ。

もちろん日本にも子どものために工夫を凝らした電車はある。でも、それは期間や場所が限定された、ある種の特別な電車で、それに乗るのは一大イベントだ。

フィンランドの子ども車両には何の工夫もない。別に特段かわいくもない。派手な色合いでもないし、滑り台の傾斜はわりと急だし、絵本は「なぜこれがここに?」みたいな難しそうなものもある。でも、普通の電車料金を払えば誰でも乗れる、ごく普通の電車の中にある。それほど手厚いわけではないが、誰でも利用できるサポートがどこにでもある。

3

畑の真ん中

保育園での教育・その1

適切な服装をすれば、
天気が悪いなどということはない。

——同僚の連れ合い

八月になってすぐ、私たちは京都からヘルシンキに戻ってきた。今度はモッチンも一緒にしばらく過ごす。

フィンランドでは、一番明るい六月の終わり頃には、夜もほとんどない。八月だと、朝の四時には眩《まぶ》しくなって、夜の八時でもまだ外で遊べるくらい明るい。でも夜は戻ってきている。最高気温が一五度から二〇度くらいでだいぶ涼しいけど、日差しは強くてまだ夏の気配も残っている。

もしまた二週間、自宅で待機しないといけなくなったとしても、八月半ばからのユキの新学期に間に合うようにヘルシンキに到着した。でも、今回は日本からの入国者に関して自宅待機は求められなかった。

フィンランドは、滞在許可を持つ人なら、国籍にかかわらず入国できる。そして、各国の人口当たりの新型コロナウイルス新規感染者数に応じて、二週間ごとに入国後の行動制限を見直している。何にしろ、規制されることに理由があってその理由が公開されていたり、今後その規制がどうなりそうなのかを手元の情報から予想できたりするのは助かる。

3

ユキとクマが八月から新しく通うことになった保育園は、家のすぐ近く、畑の前、森のそばにある。ユキはここで就学前教育（エシオペトゥス）を受ける。

エシオペトゥスは通常、保育園で開かれるが、それなりの規模のある保育園でしか開かれない。エシオペトゥスの時間は朝の九時から昼の一三時で、ユキはそのあとに一時間のフィンランド語講座と、さらに朝夕の保育をつけているため、クマと同じく、朝八時から夕方四時まで、保育園にいることになる。

五月の終わりには、その保育園の園長先生からメールが届いた。八月には私たちはヘルシンキにいること、自宅待機が終わり次第、ユキもクマも保育園に通いたいことを伝えた。ヘルシンキに戻ってきて最初の月曜日に、その保育園を訪ねた。前に通っていた街中の保育園と比べると、園庭が三倍くらい広い。京都で通っていた保育園と比べると、四倍くらい広い。建物の中には、体操室・工作室・ランチルームがある。

ユキのクラスは、児童二一人に対して担任の先生が三人（教師二名、保育士 nurse/hoitaja と呼ばれる、修士学位を持たない教員）と教育実習生が一人つく。月に二回くらい、特別支援教育の先生が一人来る。

その日にお話ししたのは担任のマリア先生だった。マリア先生は、「保育園で密を避けるのは無理ですが、なるべく手を洗い、少しでも体調が悪かったらお休みしてください。何でも困ったことがあったら連絡してください」と言ってくれた。さっそく、「ユキはまだほとんどフィンランド語が話せないのですが、友達は作れるでしょうか？」と質問したらマリア先生は「だいたいどの子も、五カ月くらいでフィンランド語ができるようになります」と答えた。ほんまに？　それなら私も通いたい。

フィンランドの保育園に通い始めて最初に驚くのは、いろいろな設備が充実していることだ。玄関にはだいたい扉が二つある。窓はどれも二重窓だ。園庭は、日本にある同じ人数の保育園と比べると広いことが多いだろう。玄関には靴箱のほか、上着や帽子、手袋などを乾かすための乾燥機が置かれている。夏以外の時期には雨や雪が降って、登園するだけで服が濡れるので、この乾燥機はありがたい。

それから、それぞれのクラスの作りも、京都で通っていた保育園とはかなり違う。まず、私たちが通ったことのある三つの保育園は、どこも職員室がない（園長先生の部屋はある)。子どもたちのいる教室に先生の使うPCや書類がそのまま置かれていて、先生たちは子どもたちを見ながら事務作業をする。三カ所ともどこでも、昼寝のための部屋があり、そこにはベッドが置かれていたり、布団(マット)が敷けるようになっていたりする。

次に驚いたのは、持ち物がとても多いことだ。いや、持ち物が多いというのは正確ではない。用意して、保育園に置いておかなければいけないものが多い。といっても、頻繁に着替えをするとか、お弁当を毎日持たせるとか、そういうことではない。外で遊ぶための服がたくさん必要で、それを買い揃えないといけない、ということだ。

おそらくどこの保育園でも必要そうな着替え(半袖・長袖、ズボン、靴下、パンツの替えを各二セットずつくらい)に加えて、それ以外に必要なのは、まず防水の上着とズボン(あるいはつなぎ)。スキーウェアのようなものを想像してもらえると近い。でもスキーウェアより防水性が高そうな、厚手の生地のものがほとんどだ。

それから雨具。日本で売られている雨合羽のようなものではなく、もっと厚手で、絶対に水は通さなそうな、ゴムでできたような上下の一揃え(あるいはつなぎ)だ。こっちでは傘をさしている人をあまり見ない。風が強くて傘がさしにくいからなのか、単に面倒だからなのか、よくわからない。

手袋も、雪で遊ぶときのための厚手のものと、単に雨が降っているだけで気温がそれほど低くないときのためのものと、二種類いる。靴も、運動靴と長靴と雪靴の三種類必要だ。帽子も日差しを防ぐものと寒さを防ぐものと、二種類いる。雪靴を履くときのための厚手の靴下も、普段の靴下に加えて、持って行くほうがいい。

子どもによっては常備薬やおむつ、おしゃぶり、夏なら日焼け止めやサングラスも持っていける。おむつは自分で買って、保育園のトイレにそれぞれの子どものカゴがおかれているので、そこに放り込んでおく。ぬいぐるみやおしゃぶりは、昼寝のときに子どもが必要なら、持って行っていい。

なぜこれだけたくさんの装備を用意しないといけないかというと、フィンランドの保育園では、雨が降ろうが氷点下だろうが、地面が凍っていようが風が吹いていようが、ほぼ必ず外で遊ぶからだ。

台湾出身の同僚が、フィンランドの冬は天気が悪いと言ったところ、彼女のお連合い（スウェーデン系フィンランド人）が「適切な服装をすれば、天気が悪いなどということはない」と言った。適切な服装って重ね着と反射ですか、と言いそうになったが、どうもこの言い回し（「悪い天気などない、不適切な服装があるだけだ」）は人口に膾炙している気がする。

というわけで、これら適切な服装の一式を新品で買うと、一人あたり一万円以上かかる。私はリサイクルショップで安く、あるいはただで手に入れたり、人からもらったりしたので、二〇〇〇円くらいで済んだと思う。

それから、私にとってありがたいことに、フィンランドの保育園では、朝の八時から八時半までの間に登園すると、給食の朝ごはんを食べられる。朝ごはんは牛乳とオートミールか黒パン、日によっては卵やきゅうりがつくこともある。

八月に初めて、畑の真ん中の保育園に行ったら、マリア先生から「朝起きたら、服を着替えてそのまま連れてきてくれてかまいません」と言われた。本当にその通りだった。早寝早起き朝ごはん、とかなんとかいう標語があったような気がするが、フィンランドでは登園直前に子どもを起こして顔を洗って着替えさせておけば、朝ごはんは保育園で食べさせてもらえる。

フィンランドの教育が世界一だとかいう人がいるようだが、私にとってそんなことはどうでもいい。だいたい、フィンランドの教育が世界一だとかなんだとかいう人は、文部科学省の学力テストで一位になる学校に子どもを通わせたいとでも思うのだろうか。あと最新のＰＩＳＡ学力試験の結果では、フィンランドよりシンガポールやエストニアのほうが順位が高い。

それはさておき、朝ごはんを保育園で食べさせてくれるのは助かる。朝食、昼食、おやつの三食を保育園で食べてもらえるので、特に子どもたちが小さいあいだは、食費がすごく、助かる。週末を一緒に過ごすと「あんたら、二日間でこんなに食べるんかい！」と驚かされる。

ついでに、お弁当もほとんど用意する必要がない。というか、フィンランドで子どもを保育園に通わせてきて、今までのところ、私は子どもたちにお弁当を用意したことがない。ユキはこれまで何度か遠足に行った。行った先で何かを食べたり飲んだりして帰ったこともある。

そういうときは、数日前に保育園から、遠足に行くことと弁当が必要なことが書かれたプリントが配られる。でも、そこに書かれていたお弁当の例が「果物」「チーズ」。え……それ、お弁当？　一応、ユキに「おにぎりとかサンドイッチとか、作ろうか？」と質問してみたら「みんなチーズとかナッキレイパ（ライ麦で作られた、ほぼ味のしない煎餅のようなもの）やし、それでいいわ」と断られた。

まったく別のときに、職場で「日本のbentoってすごいよね！　ところで、日本ではいつbentoが必要なの？」と質問されたことがある。たしかに、フィンランドでは保育園で三食（朝食・昼食・おやつ）、小学校・中学校・高校で昼食が無料で提供される。大学では給食は提供されないが、大学の食堂で学生が昼食をとる場合、一人前三ユーロくらいだ（例えば、ヘルシンキ大学の食堂UniCafeは、学生には二・七〇ユーロ、教職員には五・九〇ユーロで昼食を提供している）。

3

給食は保育園から大学まで似たり寄ったりのメニューで、サラダと水あるいは牛乳が取り放題、メインのおかずが一皿、パンかご飯あるいはジャガイモを二分の一皿くらい取れる。ユキいわく、給食は「おいしい！」らしいが、メニューを聞いたかぎり、朝＝パン＋マーガリン＋チーズ＋きゅうり、昼＝人参入りマッシュポテト、サラダ、焼き魚、おやつ＝ホットドッグと、おいしいかどうかよくわからない。

ユキとクマは「給食のソーセージカレーが最高においしい」というのだが、日本の「カレー」がフィンランドにあるはずがない。どういうことかと思って保育園の給食カレンダーを確認したところ「Makkarakastike（マッカラカスティケ、ソーセージのブラウンソースかけ)」だとわかった。それ、そんなにおいしいかな。

朝に登園するときは、子どもがカバンを持っていたり着替えを持ってきていたり、園舎の中で服を脱ぐのを手伝ったりするなら園舎の中に入らないといけないけれども、そうでなければ園庭で先生に子どもたちを預けて「モイモイ!」と言うだけでいい。保育園に到着して一〇秒でお別れできる。

京都で保育園に通っているときは、登園後に「その日の着替えを子ども用のロッカーに詰める」「オムツをロッカーあるいは引き出しに詰める」「汚れ物を入れる袋をセットする」「保育園の日誌に、子どもたちが家でどのように過ごし何を食べて何時に眠ったか、排便はあったか、体温は何度かを書く」といった一連のタスクがあり、それらを二人分完了するのに、私の場合は一五分程度かかる。ユキがお別れを渋ったり、クマがそのタイミングで排便したりすると、もっと時間がかかる。

朝に急いでいるとき、この違いは大きい。といっても、ヘルシンキで見かける人々の中で、早く仕事に行かなければと急いでいる人をあまり見かけないような気もするけれども、これは、私たちが「ヘルシンキのカントリーサイド」に住んでいるからなのかもしれないし、新型コロナの流行以来、リモートワークしている人が多いからかもしれない。

3

保育園に通ってしばらくすると、保育園の行事がほとんどないことにも驚く。毎日、子どもたちのやることはほぼ変わらない。八時半までに登園して朝ごはんを食べ、九時すぎまで部屋の中で遊んで、一〇時から一時間半くらい園庭で遊ぶかお散歩に出かけて、一一時過ぎには昼ご飯を食べて、一二時過ぎから一～二時間くらい昼寝をして、午後三時前におやつを食べて、そのあとはまた園庭で遊び、夕方四時ごろにだいたいの子どもが帰る（四時を過ぎてお迎えに行くと子どもがほとんどいないこともある。特に金曜日）。

ヘルシンキ市の就学前教育は、朝九時から午後一時まで、一日四時間（週二〇時間）だけ実施される。朝九時以前、あるいは午後一時以降も子どもを預けたい場合は、保育園にそのまま預けることができる（形式的には学童保育と同じ扱いになるようだが、実質的には保育園に預けているのと同じ状態）。

それから、ユキのようにフィンランド語を母語としない子は、一日一時間のフィンランド語の授業を受けることができる。一〇月ごろまで、午後に一時間とって授業をしていたらしいのだが、まとまって一時間授業をするのが難しいということで、一一月からは朝と夕方に三〇分ずつ授業を受けているらしい。

入園式も卒園式も、運動会も学芸会も、バザーも夏祭りもない。行事がないわけではないのだけれども、京都で通っていた保育園と比べて、保護者が行事に参加する回数がとても少ない。子どもの行事が、大人の生活とはっきり分かれているように感じる。これは、保護者同士が保育園を通じて交流する機会がほとんどないとも言える。保育園が、保護者のための（保護者が働いている間に子どもを預かるための）施設ではなく、子どもが保育・教育を受けるための施設なのだから、当たり前なのかもしれない。

行事がないのは、正直いって、とても楽だ。保育園から行事の準備や行事当日の参加を求められたり、家で何かを手作りするように依頼されることがまったくない。その反面、京都の保育園では、ユキやユキの同級生たちが行事を通じて成長していくように感じていたので、それを見る機会がないのはもったいない気もする。

ユヴァスキュラとヘルシンキとで子どもたちを保育園に通わせてきて、保育園に自分と子どもたちが巻き込まれる感じがしない。私は学校でも大学でも趣味のサークル

3

でも、自分が丸ごと、何かの団体の中に組み込まれてしまう感じがとても苦手だ。そういう意味では、こちらの保育園では「個人がサービスを利用する」という感じがして気楽だ。

京都で子どもたちが通っていた保育園では、先生方と保護者との接触がまめにあり、情報の共有が丁寧に行われていた。日誌では先生方が、子どもたちが毎日どんな様子で過ごしたか、写真やイラストをつけて詳しくお知らせしてくださっていた。ユヴァスキュラで通った保育園でも、ヘルシンキで通っている保育園も、そういう丁寧さや、先生方個々人の情熱や工夫を感じる場面は、あまりない。

もちろん、先生方はお迎えのときに「今日はユキはこんなことをがんばったよ！」とか「今日はお散歩に行ったよ！」とか「クマは今日もよく食べてよく寝てずっと走り回っていたよ！」と教えてくれる。

三月・四月に通ったあの街なかの保育園では、私たちはたくさん配慮してもらった。でも、それは、あの保育園の園長先生が親切な人だったからだとか、ソフィア先生やアントニ先生やよしえ先生といった個々人の情熱や優しさに支えられていたというよりは、園児に対する保育士／教員の数や、自治体が保育園に対してしなければならないことの違いに支えられていたのではないか。

別の言い方をすると、保育の質が個々の保育園や保育士に左右される度合いが低いように感じるのだ。京都の保育園とヘルシンキの保育園とで、先生方と保護者の「がんばってる度合い」がかなり違う、とも言える。

京都で通っている保育園は、いろんな意味で、子どもたちが日中を過ごす場というだけでなく、保護者の共同体でもある。それは、保育園が労働者のための施設であることと、おそらくつながっている。保育園だけを比較するなら、おそらく京都の保育園のほうが、子どもと親を育てる共同体としてのスキルの蓄積と保護者・保育士・経営者の団結力と友情において、この、ヘルシンキの畑の真ん中にある保育園より優れているように感じる。

でも、そんな共同体も、保育園の先生たちの情熱や努力も、保護者の熱意や協力も、もしかすると必要ないのかもしれない。保護者の労働時間が短く、保育が労働者の福利厚生ではなく子ども個々人の権利として制度化されているならば。そして皆がある種の「あたたかさ」を求めないのであれば。

3

公的機関であれ企業であれ、あるいはNPOやPTAなどの組織であれ、善良で優秀な個人が現場でがんばることによって、公的な制度が不備のままに置かれている場面を目にする時がある。現場の人々が一生懸命にがんばることによって、制度の抱えているそもそもの問題が先送りにされたり、現場の工夫や情熱によって奇跡的に運営できてしまうがゆえに、現場の困難が放置されていて、がんばる人がえらいと思われたりする。こういう状況は、保育園に限らないかもしれない。

そして、誰かが苦しいなかでもがんばるのをみて、私たちは喜んでいないだろうか。誰かが公私の別なく、すり減らしてがんばってくれることに、私たちは感謝していないだろうか。

そこで「あなたががんばらなくちゃいけないのは、仕組みに問題があるんじゃないですか」なんて言うのは、熱意を削《そ》いだり揶揄《やゆ》したりする、悪意ある発言と取られるだろう。個人ががんばらなくても問題がないようにするために、公的な制度があるはずなのに。

あの共同体を、負担に感じる人もいるだろう。でも、あの共同体がなくなったら、寂しいと感じる人もいるんじゃないだろうか。

新しい保育園では、クマは慣らし保育として、一日目（月曜日）は午前中だけ保育園で私と一緒に過ごし、二日目にはモッチンと昼寝まで一緒に過ごした。三日目は午前中だけ、四日目はお昼寝まで、五日目（金曜日）には丸一日、預かってもらった。

二週間目が終わる頃には、クマは同級生の名前を覚えた。一カ月が過ぎる頃には、土曜日になると「アシタは、ホークエン、ないの？」「ボク、ホークエンいきたいんだけど」と言うようになった。担任のアンナ先生からは、一日目に「クマは、auto-mies（auto＝車、mies＝男）ですか？」と質問された。はい、彼はアウトミエスです。

ユキは前と同じように、一日目から「もっと長く保育園にいたかったなー」と余裕しゃくしゃくだった。手芸の時間にはせっせと刺繍を楽しみ、クラスで誰よりも熱心に手芸をしている、と担任の先生方から褒められた。私は箸より細いものは持てないので、刺繍が好きという心情を想像できない。親子でもかなり違うものだ。

でも、口では楽しんでいるといいつつ、この頃に撮った写真を見たら、ユキの表情

3

はいつもピシッとしてしまっている。やっぱり気持ちは張り詰めていたんじゃないだろうか。

京都にいたときもそうだったけれども、私はユキに毎日「今日はどんなことがあったの？」と質問するようにしている。彼女がどんなふうに過ごしているのか知りたいし、だいたい面白いことを教えてくれるからだ。

ところが、こちらの保育園に通い始めてから、いつ聞いてもユキは「覚えてない」と言う。決まって「楽しかった！」と言うのだけれども、「へー、ほな何したん？」と訊くと「覚えてない！」。それほんまに楽しかったんかいな、大丈夫か、と心の中でツッコミつつ「そっかー、でも楽しかったんやったらよかったわ！」と言って会話が終わる。

あの人はいったい保育園で毎日何をしているのだろうか。先生から、お迎えのときにだいたいは教えてもらうけど（「今日はみんなでお散歩に行ってブルーベリーを摘みました」「今日は園庭で縄跳びをして、ユキは九〇回以上跳んだんですよ」など）、本人としてはどこらへんが面白くて、何が面白くないのかを知りたい。大丈夫かユキ。そんな記憶力、悪かったっけ？　もしかして、何も思い出せないくらい、しんどい……？

そんなふうに気になっていた頃、ユキのクラスの保護者会が開かれた。就学前教育が始まって以来、私にとってはフィンランドの保育園に通い始めて以来、最初の保護者会でもある。

会場は保育園の体操室で、入る前にそれぞれ手を洗い、体操室では椅子一つ分くらい間隔を開けて座った。先生たちはフィンランド語で話し、私にはヘルシンキ市から派遣されたという通訳さんがついて、英語で同時通訳をしてくれた。

まず、担任のマリア先生から、就学前教育の目的と大事にしていることについて説明があった。

・記憶・交渉・セルフエスティーム・日常的な自分の世話を自分ですること・多少しんどくてもやり切ること・違いを認識しあうこと、等々といった、集団生活と修学に必要なスキルを身につけることが主な目的。でも文字や数字の学習もしないわけではないので安心してください。

・基本的に今は、あらゆるスキルを練習している時期。できないことがあっても、喧嘩しても、意地悪なことを言ったとしても、それは「悪いこと」ではなく「いま練習中のこと」。できればご家庭でもそのようにお伝えください。

・子どもに自分のことを自分でさせる（コートをかける、靴を揃える、持ち物を用意するなど）をさせるのは、子どもに「あなたを信頼しています」というメッセージ。なので明示的にそのように伝えてください。子どもたちと「大人の役割」「子どもの役割」を話し合うときもあります。みんなしっかり考えているよ！　お昼寝の時間は今はもうありませんが、午前中に勉強したことを、静かな部屋で振り返り、話し合ったり絵に描いたりしています。

・友達づくりも勉強も、とにかく遊びを通じてやるのが一番効率がよい。大人に頼ることができるという安心感や、ここまでなら自分でできる（ここから先は他人に頼る）という判断力を養うこと、信頼されているという自信を持ち、他人を自分と同じように尊重することを学ぶのが、一番大事だと考えて教育している。

・子どもたちのなかには、すでに文字の読み書きに不自由しない子もいれば、フィンランド語をまったく理解していない子もいる（ユキを含め、五人は母語がフィンランド語でもスウェーデン語でもない）。簡単な計算ができる子もいれば、数字という概念をまだ持たない子もいる。そのような現時点での違いを、恒久的な違いにしてしまわないように、少なくともクラスの中では「この人はこれが得意なんだね」「ところであの人はあれが得意だね」と考えるように仕向けている。

・毎日が総合学習。特に森遊びは空間や数量の把握、色や形の語彙などを学ぶ絶好の機会。今はコロナのせいでバスに乗れないので、博物館や美術館に遠足に行けないが（うちの地域はヘルシンキ市内ではありますが、畑と森ばかりです）、だからといって学びの機会が減ったわけではない。等々。

なんだか、マイケル・ムーアの映画に出てくるフィンランドのイメージそのままのような話が目の前で展開され、私は面食らってしまった。そんなアホな。あれほんまやったん。もっとこう、切実なやばい話はないんですか。お金がないとか、人が足りないとか、何とかの改革のために今年からこれができなくなったとか。

と思っていたら、ほかの保護者から「友達作りについて、先生方はどのような工夫をなさっていますか？」と質問が出た。

マリア先生の回答はこうだった。子どもたちの様子を見て、一人ぼっちになってい

3

る子がいたら「何をして遊びたい？」と声をかける。友だちを作ることにフォーカスするというより、一緒に遊ぶ瞬間を増やしていくことにフォーカスする。大人は持続的な人間関係を見てしまいがちだが、子どもにとっては遊んでいるその瞬間のほうが重要な場合が多い。

たしかに、それはそうだったかもしれない。私自身が保育園に通っていた頃に気づいたことの一つは、遊んでいるときのあの喜びは、その日のそのときにしかないということだった。別の日に、たとえ同じ人と同じ遊びをしても、あのときほど楽しいと思えなかったときもある。あれは悔しかった。

もっとしんどい話はないいんですか。と邪悪な期待を抱いて待っていたら、また質問が出た。「喧嘩したらどうなさっていますか？」

教員たちは、今、子どもたちがあらゆるスキルを学んでいる最中だと考えている。だから、今の教員の仕事は「この人が悪い」「ここが悪い」とジャッジすることではない。「このスキルを学んでいる最中だね」とお互いに確認するのを手伝うことだ。

なんだよそのいい話！　もっとキッツイのないんですか？　絶対あるやろ！

という私の邪悪な期待は、ほとんど満たされずに保護者会が終わってしまった。唯一それっぽかったのは「例年なら週に一回くらいやってくるはずの特別支援の先生が、今年はコロナウイルス感染拡大防止のため複数の事業所を回ることが禁止されているので、リクエストに応じて個別に対応します」くらいだった。

秋も深まってきた頃、マリア先生に「ユキに就学前教育で何を学んだのか、毎日、私から質問してみるのですが、何も覚えていないというのです。もしかして、とても疲れているのではないかと心配です」と伝えた。

マリア先生は「ユキはきっと、何も思い出せないくらい、今の瞬間に集中しているのでしょう。それに、無理に言葉や学習したことを覚える必要はありません。自然と身についた事柄は忘れないものですから」と答えた。体得ってやつか。

クマは途中でクラスを変わり、新しい担任の先生ともう一度面談することになった。二度目の面談のときには、最近なにごとも主張が強くなってきたことを相談した。

クマは反抗期を迎える以前から、保育園のお遊戯発表会で積極的にみんなと違うことをしたり、ヘルシンキで子ども向けダンスワークショップに参加したところ、指示をすべて無視するので「フィンランド語がわからないの？」と私が質問したら「ちがう。ぼくは、言われたとおりにするのがいやなだけ！」とはっきり返事したりと、明らかに反抗的だった。

そのことを新しい担任のリーッカ先生に話したら「言われたとおりにしなければ、自分あるいは他人が危険なときと、そうでないときがあります。クマは私の見たかぎり、そうでないときにだけ指示に従いません。それは自分の独立した考えを持っているということを意味しており、とてもいいことではありませんか？」と返された。

指示に従わないことがいいことだと評価されるなんて。思い返せば初めてフィンランドに来たとき、ユキは保育園の先生から「嫌なことをはっきりと嫌だと言い、常に自分の考えを持っていてすばらしい」と褒められた。それは、京都の保育園では、褒められたことはなかったなあ。

保護者として三つか四つの保育園を見ているだけに過ぎないけれども、私は「日本の教育は集団主義的」というのは、単に教員の数が子どもに対して足りていない（教員・保育士が一人でたくさんの子どもを監督しないといけないから、指示的にならざるを得ない）からではないかと思いつつある。先生方に時間と人員の余裕がない以上、子どもを教師の指示に従わせるのが理にかなった指導になってしまうのではないだろうか。

だから、先生方と教育現場にもっと時間と人とお金の余裕があれば、「日本文化」みたいに言われがちな集団主義も変わるかもしれない。

4

技術の問題

保育園での教育・その2

これらのスキルはすべて、
一歳から死ぬまで練習できることですよ。

――アンナ先生

ユキの就学前教育が始まる前の日に、担任の先生方から、最初の一週間で何を学ぶのかを説明したメールが届いた。それには「一週間目は友達の作り方のスキルを勉強します」と書いてあった。いったい何をするんだろう。そもそも「友達の作り方のスキル」とは何だろう。

ユキたちがいったい「友達を作るスキル」として何を学んでいるのか知りたいと思っていたら、クマの面談があった。いま通っている保育園では、年に数回、早期教育面談と呼ばれる面談がある。二〇二〇年の秋、クマの担任の先生は、アンナとレアとハンナという三人の女性だった。アンナはどうも、この保育園が開園したときから勤めているベテラン先生だそうだ。

面談のための部屋に入ってまず驚いたのが、カラスの絵が描かれた大きめのカードが、机いっぱいに並べられていたことだった。このカードは「Huomaa Hyvä!」というらしい（英語ではSee the Good!という名前で販売されている）[1]。

「人間に共通する、二六個の強みカード、一〇個のアクションカード、七個の感情カード、五個のアセスメントカードをまとめたもの」[2]だそうで、カラスが飛んだり跳ねたりしていて、そのまわりに「我慢強い」「思いやりがある」「好奇心が強い」「協調性がある」「美を鑑賞する」などと書いてある。

本来の使い方は、See the Good! という商品名が示す通り、人間には一般的にどのような美点があるのかを学び、自分や相手、あるいは第三者にこの美点がある、と指摘するために用いるものらしい。

面談の日は、面談室に入るなり、アンナが「クマがもう練習できているスキルはどれでしょうねー」と言いながら、このカードを並べ始めた。私は「ユーモア」と「好奇心」を指して「これですかねー」「このカードにはないですけど、気前もいいですね」と言ってみた。しかし三歳でこんな人格的なところまで発達しているものだろうか、ていうかこういう項目ってスキルなんですかね、などと思いながら。

すると、アンナは「なるほど！　あなたはどんなときに、クマにこのようないいところがあると感じるのですか？」とクマの日常生活について私が話す材料を提供してきた。そういう使い方なのか。そこからしばらく、私とアンナとで、クマが家と保育園とでどのように過ごしているかについて情報交換した。

アンナから聞くかぎり、クマの様子はだいたい予想通りだった。つまり、よく食べるし、よく喋る（ただし日本語で）。機嫌もいい。たしかにユーモアがあるし、いろいろなことに興味を示す。ただ、昼寝前の読み聞かせの時間に退屈しているのか走り回る。「退屈しているのはフィンランド語がわからないせいでしょうか?」とアンナが気にした。「そうじゃないでしょうか」とやる気なく返事をしたら、アンナは「クマは車以外、どんなものが好きですか?」と質問した。「何か音が出るものが好きです」と答えたら、アンナは「じゃあ、明日から読み聞かせの時間に、歌をうたう時間を入れてみましょう」と言った。

それから、「クマがまだ練習する必要があると思うスキルはどれか?」と質問された。いや、だから、「これどれもスキルですか? 人格とか才能とかじゃないんですか?」と思いつつ「美を鑑賞する」と「チームワーク」はまだ難しいんじゃないですかねー、とカードを指した。

アンナは「あら! そうですか。私はクマが落ち葉の音を楽しみ、葉っぱを太陽に透かせて眺めているのを見たことがあります。彼はおそらく、美を鑑賞するスキルを練習していますよ」と訂正された。そうだったのか。

それから私が、「このスキル、私も練習できてないことが多いんですけど」と言ったら「これらのスキルはすべて、一歳から死ぬまで練習できることですよ」と指摘された。

違うって、これボケてんねんって。素で返されたらつらいから。

4

その次の週に、ユキの就学前教育に関する三者面談があった。三者面談って、高校入試とか大学入試とか、人生に大きな影響を与えるイベントに備えて開かれるものじゃなかっただろうか。

しかも面談に先立って、家庭内で子どもにインタビューしないといけない。「あなたの得意なことは何ですか」「あなたの好きなことは何ですか」「どんなときに楽しい／嫌な気持ちになりますか」「もっと学びたいことは何ですか」などなど。ユキはそれぞれの項目にスラスラと答え、面談の当日になった。

これ、今は在宅勤務の人が多いから時間の都合をつけやすいと思うんだけど、そうじゃない人はいったいどうしているんですかね。という時間帯（朝九－一七時の間の一時間、私たちは朝の九時から一時間）に、私とモッチンは保育園に行った。

本当は三者面談の予定だったのだが、ユキは面談室に入って「保育園でやりたいことはどんなことですか？」と質問されるなり「この部屋じゃなくて、外で遊ぶこと!」とはっきり答えて部屋から出て行ってしまった。お前はディオゲネスか。

意外なことに、ユキを見送ったあとマリア先生から聞いたのは、ユキへの賛辞だった。「論理的思考、記憶、推理能力など、修学に必要なスキルを身につけている」「精神的に安定していて「私はできる」と信じている(から何事にも前向きに取り組んでいる)」「自己認識が明確で自分のやりたいこととやりたくないことを伝えられる」「行動力もある」「ほかの子どもたちとも遊べるし一人遊びもできている」「新しいことを学びたいという意欲にあふれている」、何より「私は大丈夫」と安定しているように見える。

え、そう……ですかね……。でも、今さっさと部屋を出て行ってしまったのはよくなかったのではありませんか、と尋ねたら「そんなことはありません。私たちも彼女に何をするのか日本語で伝えられなかったし、今日どのような予定なのかを質問しませんでした。だから戸惑って当然です。あそこではっきりと自分のやりたいことを表現してくれるのは、本人に意思を伝えるスキルがあるからです」と返ってきた。

たしかに、ユキは生まれて二日めから、ほしいものがあれば手に入れるまで泣き続けたし、何か気に入らないことがあれば、その状態が改善されるまで泣き続けた。い

4

わゆるイヤイヤ期も激しかった。朝から晩まで「イヤ」しか言わなかった。そもそもユキの初語は「イヤ」だった。あの激しさを肯定的に評価するなんて、いったいどういう方針なんだ、ここの保育は。

「ユキはフィンランド語が全然できないにもかかわらず、フィンランド語の授業が簡単すぎる、もっと難しいことをやりたいと言うのですが、どうしたらいいでしょう」と質問した。すると「ユキの持っている学習へのスキルの水準から考えると、いま学んでいることは退屈かもしれません」と真面目な回答が返ってきた。

嘘やん。でも、あの人、毎日「今日は楽しかった！」と言うけど、何が楽しかったか質問しても、何も覚えていないんですが。「たくさんのことを学んでいるからです。復習したり思い出したりできないくらいのことを学んでいるからです。彼女には時間が必要です。待っていてください」

それって、いっぱいいっぱいで余裕がないってことですよね、と気になるが、マリア先生は「クリスマスまでにはユキのフィンランド語は変わると思います」と言い切る。そんなにすぐに？　と半信半疑だが、何せ彼女は知識も経験もあるプロなので、こちらは信じるしかない。

ほかは、野菜を食べたがらない以外、こちらから特に心配になる点はなかった。先生から「がんばりすぎて、おうちで疲れていませんか？」と質問されたが、本人が「保育園では遊ぶ。学校では勉強する。家ではごろごろする」とはっきり言っていると伝えたら、マリア先生は「それなら安心です」と答えた。

キラキラ光る畑の横を、私とモッチンは「ひたすら褒められちゃったね」「こっちは褒めて伸ばす方針なのかな」「悪いところを何にも指摘されなかったから、かえって不安だ」と、言い合いながら帰宅した。

クマの面談のときにも見た、Huomaa Hyvä!（See the Good!）のカードは、ユキのクラスにもある。でも、これまたおそらく本来の使い方とは違い、友達同士で「私はこのスキルを練習したい」とか「さっき喧嘩したのは、自分にこのスキルが不十分で、あなたにこのスキルが不十分だったのではないか」とか言いながら使うのだそうだ。

クマの面談を受けたときは、「正直さ」「忍耐力」「勇気」「感謝」「謙虚さ」「共感」

4

「自己規律」などなどを「才能」ではなく「スキル」と取ることについて、なんとなく狐につままれたような気分だった。でも、数日経つとなんとなく納得してきた。眼から鱗が落ちるような感じだった。

私は、思いやりや根気や好奇心や感受性といったものは、性格や性質だと思ってきた。けれどもそれらは、どうも子どもたちの通う保育園では、練習するべき、あるいは練習することが可能な技術だと考えられている。

よく、「褒めて伸ばす」と言う。その是非もときどき話題になる。私たちはあの日、前の保育園でもそうだったように、ここの保育園でも（ということは、私たちの知っている「フィンランドの保育園」では）「褒めて伸ばす」方針なのだろうと結論した。

でも、今になって私は、この「褒められた」という理解は間違っていたのではないかと思っている。

先生たちは、別にユキを褒めたわけではなかったのかもしれない。学校教育を受けるにあたって、あるいは集団生活を送るにあたって、必要とされるさまざまなスキルのうち、ユキがすでに充分に練習を積んでいると思われる項目を挙げただけだったかもしれない。それは「褒める」という言葉を聞いたときに想像するような、肯定的な感情に満ちた行為ではない。

これから練習の必要なスキルがあれば、それらが話題になるだけだ。それも、「できていない」「能力がない」「才能がない」と評価されるのではないし、目標達成に向けて努力しているか否かすら、おそらく問題にされていない。もっとあっさりと「ここはもうちょっと練習しましょう」と言われるだろう。

「感受性が豊かだ」「好奇心が強い」「共感力がある」「根気が続く」といった、通常なら性格や才能などと結びつけられてしまいそうな事柄が「スキル」と呼ばれている理由は、このあたりにありそうだ。私は根気がないのを子供の頃から気にしている。これが私の性格でないのなら、「根気がない」という「性質」は、単に「何かを続けるスキルに欠けている」ということになる。そして、そのスキルを身につける必要があると感じるなら、練習する機会を増やせばいいことになる。

なんと盛り上がりに欠ける話だろう。でも「あなたはすごい」だの「お前はダメだ」だの評価されるより、淡々と「これを練習しましょう（したければ）」と言われるほうが、気が楽ではないだろうか。

ユキに限らず、ここの保育園に通っている子どもたちの持つさまざまなスキルは、別に肯定されているわけでもないし否定されているわけでもない。練習の必要なことと、必要でないことがある。その項目も、必要さの程度も、そのうち変わるだろう。今回はそれをアセスメントし、そのアセスメント結果を家庭と教育機関で共有しました、というだけだったのではないだろうか。

実は、あの人たちは別に褒めていないのではないか。そして、それならそれで、まったく問題ない。

4

一一月の初めごろ、晩ご飯を食べていると、ユキが「同じクラスの男の子が、ユキがフィンランド語で話そうとすると、真似すんねん。それがめっちゃ嫌やねん。ほんで、その子は、ユキだけじゃなくて、ほかの子の真似もして嫌がられてんねん」と言ってきた。あーそういううざい男子いるよねー、あんまり度が過ぎるようやったら晄んどきー、と言いつつ、少し気になっていた。

その数日後、その男の子（仮にエリオットとする）のお父さんが、私に、保育園で話しかけてきた。「うちの息子がおたくのお嬢さんをからかっているらしくて、申し訳ありません。やらないように言ってはいるんですが。たぶん、うちの子は、少しおたくのお嬢さんに興味があるんだと思うんです。ただ、それをうまく言えないから、嫌な気分にさせているのだと思います」。

私そういう「アホな男子」って大っ嫌いなんですよ、と思ったけど、さすがに口に出すわけにいかないので「ハハハ、まあ子ども同士のことですから」と、わりと意味不明なことを言った。

それから一週間ほど、私はエリオットのことを忘れていた。あるときふと思い出して気になったので、ユキに「最近、エリオット、どう?」と質問したら「最近は真似してきいひん」。何があったんだろうね、と言ったら「お話し合いした」。「終わりの会で吊し上げ」みたいなやつだろうか、と思ったら「クマとウサギの絵本を読んでおしゃべりした」。それだけ? クマとウサギの絵本って何?

気になったので、次の日のお迎えのときに、もう一人の担任のロッタ先生に、何をしたのか質問してみた。すると、ロッタ先生はこう答えた。

「私たちは、物事を笑うことと、人を笑うことを別のことだと教えました。前者は友達と楽しめるが、後者はそうではありません」

「エリオットは友達を楽しませる技術を知り、それを練習する必要があります」

4

「そのため、自分のやっていることを意識化するほうがいいと私たちは考えました。だから、クマとウサギのお話を読み、友達を嬉しい気持ちにする方法に何があるのかを話し合いました」。

私は、このロッタ先生の言葉を聞いて、園庭で驚いてしばらく言葉が出なかったのだけれども、ロッタ先生はそれに気づいただろうか。

「男の子はやんちゃ／アホだから、○○しても仕方がない」という説は、その男の子にとっても害があると思う。それに、○○された側の人間が嫌な気持ちになったとしても、その言葉で封じ込めてしまいはしないか。でも、それを批判して、その次はそのやんちゃな子に何をしたらいいのだろうか。

叱りつけるのではなく、淡々と教えればいいのだった。物事を笑うことと、人を笑うことは別のことだ。世の中には友達を楽しませる技術がある、だからそれを練習しよう。つい忘れてしまうけれども、何事も学習と練習が大事なんだなあ。

それにしても、フィンランドにいるとよく思うんだけど、ここの人たちは何かと盛らない。もっと偉そうに言ってもいいんですよ、たぶん。と思うけど、そう言ったところで、あの素の表情で「技術の問題です」と言われるんだろうな。

年が明けて二〇二一年になったころ、ユキが「誰もユキと遊んでくれへん」と言い始めた。事情を聞いてみると、ユキは一緒に遊びたいのだが、相手が何を言っているのかよくわからない、自分が友達の輪に入れていない気がする、一人遊びするしかなくて寂しい、ということだった。

地下鉄の駅の広告
「フィンランド人の感情：マスクあり」

私としては、人間関係上の問題というよりも、ユキのフィンランド語力がそこそこ上がったこと（先生の話すことはわかるようになったが、子どもが何を言っているかわからなかったり、口語で話せなかったりするあたり）に起因する問題ではないかと思った。

4

深刻なことではなさそうだし、そのうちなんとかなりそうな気もしたけど、ちょっと気になったので、担任のマリア先生に相談してみた。すると、マリア先生は「それは大変。どんな対策ができるか、教員同士で話し合いますね」と言った。

その次の週に、ユキのクラスでは何回か、みんなで人形遊びをしたそうだ。「人形遊びって何？　どういう目的で何をするの？」と不思議だったが、あとでロッタ先生から聞くかぎりでは、子ども同士で人形を使って、友達をなぐさめるときに何を言えばいいか、一人で遊んでいる子にどういうタイミングでどのように声をかけたらいいか、自分が一人で遊びたいときや友達と遊びたいときに何を言いどう振る舞えばいいか、などの場面の練習をした。

この対応も驚いた。この方法だったら、いろんな場面を話題にできるうえに直接的すぎない。終わりの会で「仲間外れはいけないと思いまーす」とかじゃないんだ。

これは先生方のオリジナルの発想なのか、それともどこかのテキストに書いてある方法なのか、どちらなんだろう。フィンランドに限らず、こういうやり方は、もしかしたら教育関係の方々の間では当たり前のことかもしれないけど、保護者としては嬉しい驚きがあった。

今までのところ、ヘルシンキで子どもたちや私が体験した、保育園や子育て支援関係で得たエピソードやアドバイスに共通点があるとすれば、「問題／技術に焦点を当てる」のような気がしてきた。先生方が子どもを褒めたり叱ったりするとき、それはその子の人格を褒めたり貶《けな》したりしているわけではなく、その場の状況や問題に焦点を当ててそこを褒めたり変えようとしたりしている。

私が育児相談をした場合、母親としての心構えとか気持ちとかそういうところではなく、いま私が抱えている問題を解決する具体的な提案が出される。わりとドライな感じもするけど、基本的に「お互いに相手を助けたいと思っている（だろう）」「お互い相手に悪意があるわけではない（だろう）」という前提に立っていないと提案できない解決策ばかりのようにも思える。

ただ、三歳だろうが三六歳だろうが自己決定できる／すべきであると前提されている気もする（まだ確信はない）。

ユキの教室には、子どもたちが作った大きな木の絵が貼られている。葉っぱの一枚一枚は、子どもたちが自分をイメージして描いたもので、裏面には子どもたちが、自分のいいところのうち、同級生に知ってほしいものを書いている。やっぱり「いいところを見過ぎじゃないかな」と思う。

いや、そもそもあの先生たちは「いいところ」対「悪いところ」という発想を取っていないのだ。「練習が足りていること」と「練習が足りていないこと」があるだけだ。

4

まだそれほど日が経ったわけではないが、ここで暮らし始めると、ときどきこういう体験をする。フィンランド（に限らず、北欧）は理想郷のように描かれるときがある。かと思うと、そんなことはないのだ、これがフィンランド（と北欧）の真実だ、と悪い情報を流す言説を見ることもある。

でもたぶん、それはどちらも正確ではない。フィンランドは理想郷でもないし、とんでもなくひどいところでもない。単に違うだけだ。その違いに驚くたびに、私は、自分たちが抱いている思い込みに気がつく。それに気がつくのが、今のところは楽しい。

5

母親をする

子育て支援と母性

ソサエティに入るのはどうですか？

――電話相談員

私は、自分のことをいい母親だと思ったことがない。すぐカッとなるし（特に生理前に）、抑圧的だし、言葉遣いは乱暴だ。

一度、こんな言葉遣いでは子どもたちも口が悪くなってしまうと思って、なるべく丁寧に話そうと思ったことがある。結果として、漫画『ドラゴンボール』に出てくるフリーザとあまり変わらない口調で話しているとわかり、すぐにやめた。そういうわけで、私はいい母親ではない。

いい母親とはどういう母親なのだろう。子どものために尽くす女性だろうか。でも、私は「子どものために」と自分の母が何かをしたりしなかったりするのを見るのは好きではなかった。それ、本当はお母さんがやりたい／やりたくないだけじゃない？と思っていた。

家事を完璧にこなし（つまり、手作りの食事を一日三回用意し、掃除と洗濯とその他「名もない家事」のすべてを三六五日休まず行い）、配偶者と仲睦まじく、愛情深く権威をもって子どもをしつけ、子どもの教育を支援し、常に冷静で、身だしなみに気を配り、可能なかぎり子どもに経済的な安定を与える人だろうか。どんだけハードル高いねん。

とりあえず私は、一人でそんなふうに振る舞うのは無理だ。ベビーシッターと家政

5

婦さんがいればできるかもしれないが、その人たちを雇う時点で育児と家事を外注していることになるので、「いい母親」失格になりそうな気がする。

ルンバと食洗機と冷凍食品と乾燥機付き洗濯機を、ぜんぶ買ってもらえたらいけるかもしれない。でももしかして、冷凍食品を家族に食べさせるのはダメなのか。あと洗濯物を洗って乾かすだけでなく、畳んで引き出しに片付けるところまでほかの人あるいはロボットにやってほしい。ダメか。

学生時代に半年だけオーストラリアはキャンベラに留学したことがある。キャンベラの国立図書館（National Library of Australia）には日本語のコーナーがあり、毎月、発行日から一〇日ほど待てば、日本の雑誌を読むことができた。キャンベラに来て二カ月ほどしたとき、レシピのアイデアを探して『オレンジページ』を読んでいた（なお、キャンベラで手に入る食材と学生寮の共同キッチンで応用可能なレシピは、なかなか見つけられなかった）。origami より Mount Fuji より日本を感じさせる紙面を眺めながら、ふと気がついた。この雑誌に出てくる人たち、がんばりすぎじゃない？　この雑誌に出てくることを全部やるとすると、一人で家族四人分の料理を作って、家の掃除をして、洗濯して、それなりに流行に乗った服装をして、やりすぎじゃない程度にメイクもするのか……丁寧な暮らしってハードル高いな……これ全部、妻なり母なりが一人で毎日やるの？　だとしたら、私、妻も母もできないかも。丁寧な暮らしって大変すぎじゃない？　みんなどんだけエネルギーあるの？

と思ったが、私は留学後にすぐ結婚式を挙げ、とりあえず妻になった。私は何かにつけて、深い考えもなく行動を起こし、途中で「とんでもないことを始めてしまった」と後悔し、しかし今さら（格好がつかないから、手続き上もはや引き返せないから、等々の理由で）やめられず、そのままやりきる、というパターンを繰り返している。

大学入試もそうだった。大学院入試もそうだった。留学にもそういう部分があった。そして、結婚式もそうだった（モッチンと友人たち、そして会場になった中華レストランの支配人さんのおかげで、無事に結婚式を挙げることができた）。なお、今のところヘルシンキへの移住もそのパターンにぴったり当てはまっている。

結婚後二年して私たちは子どもを授かった。私のような、たいしたお金もなく、安定した将来の展望もなく（その時点で、私は三年契約・更新なしの仕事についていた）、人間的にも未熟だし家事もたいしてできないけれども、この人となら、実家を頼れてとりあ

5

えず給料はもらえる今の状態なら、きっと子どもを産んでも大丈夫だと思った。同世代の同じ職種の女性たちと比較したら、私はとても恵まれていた。

でも、そんなに恵まれていないと出産できないのなら、おかしくないか。

そして、ユキが生まれてから、私はとにかく、必死で仕事の業績を上げなければならないと思った。「あの人は出産したから、もうキャリアを追求するのはやめたんだね」と思われたくなかった。でも、生まれたユキは、ふわふわしていて、いいにおいがして、柔らかくて、それはそれは愛らしくて、目を離したら死んでしまうような気がして、この人をどこかに置いて職場に行ける気がしなかった。

でも、半年くらいしたら、このかわいらしい生き物とずっと一緒にいたら、私がなくなってしまうような気もしてきた。小さなユキと一緒にいると、自分の時間が欲しいと思った。でも、ユキと別れたら、私はあのかわいい生き物を放り出して何をしているんだろうと思った。自分が男だったらよかったのにと初めて思った。保育園にユキを預けて非常勤先に自転車に向かうときには、ユキと一緒にいない自分をバカだと思って泣いた。でも授業をすると、これこそ私がやりたかったことだと思った。

子どもを産んだからと言って、何かから「降りる」わけではない。でも、今までと同じだけの時間と体力と集中力を、仕事に注げるはずがない。でも、どちらもできなければ、母親として、あるいは研究者・教員として、あるいはどちらも、失格なのではないかと思った。

繰り返しになるが、私はいい母親ではない。ユキが二歳半くらいの頃、保育園の玄関で、靴を履かせてほしいとユキが言うので、私が履かせたら「自分で履きたかった！」と泣いて、靴を脱いで放り投げた。私はユキに「自分で取ってきなさい！」と怒鳴り、ユキは「いやや！　母ちゃんが取ってきて！」と叫び、私は「母ちゃんはそんなことしたくない！　あんたが自分で取りに行きなさい！」と怒鳴り返した。それからしばらく、私は保育園の人たちから「鬼軍曹」と呼ばれた。

私は、子どもたちと一緒に布団に入る時間を除けば、毎日の暮らしの中で、子どもへの愛情を感じる余裕はあまりない。子どもとの関係に手を抜いているつもりもなければ、子育てだけが自分の人生で成し遂げるべき価値ある仕事だとも思わない。私だけが楽しめばいいとも思わないが、子どもの楽しみのために私が何かを我慢しなければならないという状況に陥らないで済むように、最大限の努力をしたい。

食事・洗濯・掃除・着替え・入浴・トイレ・外出の準備などの必要なことは全部す

る。怒ってしまったらあとで謝る。一日一回以上は子どもになんらかの感謝の気持ちをはっきり伝えるようにしている。それぐらいで勘弁してもらえないものだろうか。母親なるものの担うべき役割に関して世の中で耳にする言葉たちは、母親をすることのハードルを、どこまで上げるつもりなのだろう。そう思うのは、私のレベルが低いからなのか。

5

仕事があるたびに、モッチンと私は韓国や台湾やシンガポール、カナダやアメリカに、小さいユキやクマを連れて行った。どこに行っても、道ですれちがう人や電車で乗り合わせた人たちは、赤ん坊に親切だった。

特に、韓国と台湾とシンガポールで出会ったおじいさんたちは、ユキやクマに鼻水が出ていたら問答無用で拭いてくれたし、いきなり飴やチョコレートをくれた（自分より小さいものに飴ちゃんをくれるのは、関西のおばちゃんだけではないようだ）し、何かの物真似をして笑わせてくれた。シカゴの街中で、まったく知らない女性から「ハイ、スウィートハート！」と笑顔で手を振られたので、あら私ったらそんなにキュートかしら、もう三十路過ぎなんだけど、と思ったら、私の背中にいたクマにそう言っていたのだと気づいた。今までのどの段階でも、誰から見ても、私は余裕のある親には見えないだろうから、まわりの人たちが親切にしてくれるのかもしれない。

三年前に初めてフィンランドに来たとき、子どもたちがいい意味で放置されているのが気に入った。保育園の先生たちも、スーパーの店員さんも、アパートのご近所さんも、彼らがやりたいことをやりたいようにするのを、遠巻きに見ていた。子どもであっても、彼らは彼らのやりたいことと、それをどこまでやれるか／やっていいかを判断する能力があり、よほどのことはそうそう起こらないだろう、という前提が共有されているように思われた。

いや、そんなことないでしょう、というツッコミはあり得る。高いところから落ちて怪我をしたらどうするの。ユキはベッドから落ちて頭を打って嘔吐したから、私は救急車を呼んでしまった。

でも、ユキとクマに対して、二人が自分たちで何をどこまでできるのかを試す機会を与えられるなら、私はできるかぎりその機会を与えたい。なるべくたくさん失敗して、なるべくたくさん痛い思いをしてほしい。歳をとって失敗すると、けっこうきつい。精神的にも肉体的にも回復が遅い。きっとこれから遅くなる一方だろう。

模範からは程遠いものの、なんとかかんとか子どもたちを育ててきたが、それもこれもモッチンがいて、いざとなれば実家を頼ることができたからだった。ヘルシンキには実家はない。モッチンもほぼいない。いるのは、愛情深さからも丁寧な暮らしからも程遠い、抑圧的で言葉遣いが乱暴で、休日でも平日でも一日四時間ぐらいひとりになりたい私だけだ。そして二〇二〇年三月以来、フィンランド全土で（おそらく日本でも）、子どもの集まる場所や大人同士が携帯電話やPCの画面を経由せずに交流する機会は、ほとんどなくなってしまった。

5

二〇二〇年の一一月ごろから、子どもたちを二一時ごろに寝かしつけたあと、夜中二時半〜三時ごろに目が覚めてそのあと二時間くらい寝つけないのが続くようになった。冬休みに入れば仕事が休みになるから、きっと治るだろうと思ったら、年が明けても治らない。

さらに悪いことに、一月の終わりから、私は母親としての自分に何の価値もないのではないかと思い始めた。「ユキもクマも、自分たちの世話をする人がいれば、別にそれが私じゃなくてもいいんじゃない？　もしかして、こんなことは当たり前すぎて今さら気づくようなことでもない？」という思いが頭を離れなくなった。

ユキやクマが何かを買ってほしがるたびに、子どもたちにとって自分は彼らのニーズを満たすだけの人なのに何も満たせていないと不安になり、二人が急いで出かけなければならないときに靴を履かせてほしいと言って泣いたり、雪の日に保育園まで二人をソリに乗せて雪道を引いていってほしいと訴えたり（私が雪に埋もれることもあるし二人とも重いので、インドア生活を続けているアラフォーとしてはきつい）するたびに、私はこの人たちの召使ではないと思うようになった。

でも、もしかして、子どもにとっては母親も召使も同じなのか？　もしかして私よりお手伝いさんのほうがいい母親的な仕事ができるのでは？　この人たちが私を好きなのは、別に私という人が好きなのではなく、ほかにこの人たちの世話を焼く大人がいないからで、ある日いきなり私が消えていなくなったとしても、代わりの大人がいれば問題ないのでは？　むしろ私じゃない人のほうが、この人たちの世話ができるのでは？　と。

たぶん、このままではまずい。誰にとってまずいといって、子どもにとって、自分のことで頭がいっぱいな大人と住まなければならないことほど、まずいことはない。

5

と思って、ヘルシンキにある外国人家族向けの電話相談所に電話をかけた。四回ほど鳴らしたら、相談員の人が出た。同世代くらいの女性の声をしていた。彼女は、私が話し終わるまで、相槌を打ちながらじっと聞いた。それから、いろいろ質問をした。いつから眠れなくなったか？　あなたの配偶者は今どこにいるのか？　あなたの仕事はフルタイムか？　子どもたちは保育園に通っているのか？　などなど。そこから、相談員さんはいくつか具体的な提案をしてきた。なんだか仕事の打ち合わせみたいだった。いや向こうは仕事でやってるから、仕事みたいで当たり前なのか。

具体的な提案は、まず「保育園の先生と相談して、預ける時間を延ばしてみてください。でも延ばした預かり時間で仕事しちゃダメですよ」というものだった。ぜったい仕事しちゃうわ、と思ったらすぐ釘を刺された。でも仕事しちゃいそう。どうしたらいいでしょうか？　と質問しようとしたら、「society（クラブ）に入るのはどうですか？」と提案された。「いま新型コロナウイルスの感染拡大を受けた緊急事態宣言中なので、各種対面のイベントはすべて禁止されています。フェイスブック上に、移民女性やシングルマザーのグループがあるので紹介したいのですが、フェイスブックのアカウントはお持ちですか？」

「ほかに、お住まいの地域のネウボラ（Neuvola、妊娠期から就学前にかけての子育て世帯を対象とする支援制度）にお電話してみてください。それから、ＭＬＬ（マンネルヘイム児童福祉連盟）は、移民の母親と地域のフィンランド人の母親ソサエティを作っているはずです。ＭＬＬのウェブサイトからソサエティについて調べてみてください」だった。

恥ずかしいことに、私は社会学を勉強したはずなのに、相談員さんに「ソサエティに入るのはどうですか？」と提案されたとき、「ソサエティ」が「小集団」「中間団体」だとパッと思いつかなかった。「え？　社会？　いや私、もう仕事してますけど。社会人ですよ？」と言いそうになった。

国家と個人との間に複数ある多様な組織や集団は、確かにソサエティの意味の一つをなしている。でも、そんなこと、すっかり忘れていた。

「ソサエティに入りましょう」というアドバイスは、「ママ友を作りましょう」というアドバイスと少し違う。ママ友を作りましょう、という提案だと、実際に友達を作るのは私の自己責任のような気がする。でも、「ソサエティに入りましょう」という提案は、私とその「ママ友」なる人との一対一の関係を想定していない。私の都合によって入るのも出るのも自由な緩い団体が複数あり、個々人は行きたいときにそこに行くだけだ。

ユキの担任の先生は、保護者会のとき「友達作りについて、先生方はどのような工夫をなさっていますか?」と質問されて、「友達を作ることにフォーカスするというより、一緒に遊ぶ瞬間を増やすことにフォーカスします」と答えた。友達だから一緒に遊べるのではなくて、一緒に遊ぶ人を(そのとき、その場で)友達と呼ぶのか。その発想は私にはとても新鮮だった。それと似ている気がする。

最後に、相談員さんは「平日八時~一六時の間に、怒りが止まらないとか精神的にしんどいと感じたら、この電話にかけてください。私が出ます。土日だったらここに電話してください」と番号を教えてくれた。そんなに気軽にあなたに電話をかけていいんでしょうか。と気になったけど、きっと大丈夫なんだろう。むしろ、それで私が子どもに大声をあげたりイライラしたり、子どもを虐待したりすることのほうがずっと深刻な問題だ。

電話し終わったあと、私はとりあえず社会(=ソサエティ)に参加してみることにした。MLLのウェブサイトから母親クラブへの参加を申請し、住んでいる地域にある外国人女性・母親のSNSグループに参加してみた。

5

それから、ネウボラの相談フォームに、電話で話したようなことを書いた。秋の終わり頃から、夜中に目がさめるようになってしまって日中に疲労感が残る、自分は価値のない存在ではないかと思ってしまう、子どもの些細な発言に不必要なほど腹が立ってしまう、などなど。自分の名前、住所、電話番号、メールアドレス、連絡の取りやすい時間帯を一緒に記入して送信した。

ネウボラのフォームに記入したら、次の日になって一番近くの地域のネウボラから電話がかかってきた。彼女はリータと名乗った。まず、夜中に目がさめる理由として何が考えられるかと質問された。いまひとつ思いつかなかったが、ユキとクマと一緒に眠っていると、夜中にクマから激しい蹴りを食らうことがあるので、それを話した。するとリータからの回答は「子どもたちを自分たちで眠れるようにしましょう」と、「あなたの状態は軽い燃え尽き症候群のように聞こえるので、職場の健康診断に行ってください」だった。

5

そういえば、今の職場に移ってから、一度も健康診断に行っていない。健康診断は自分で勝手に行っていいのかどうかも知らなかった。

子どもたちを自分の布団あるいはベッドで、自分たちだけで寝かせるというのは、いわゆる「ネントレ」（ねんねトレーニング）だ。二人が赤ん坊のときにはやっていたけれども、あるていど大きくなったあとは、二人とも私と連れ合いの隣の布団で眠っていた。ヘルシンキに来てからも、子ども用のベッドはあるけど、同じだった。

リータに紹介された、子どもたちを子どもだけで眠らせるようにする手順は以下の通りだ。

ステップ1　準備

・一週間くらい前に、これから起こる新しいプロジェクト（この場合は「子どもだけで眠る」だけど、引越しやオムツはずしや断乳でもOK）について説明する。

・そのとき、このプロジェクトを完遂したら家族それぞれにとってどんないいことがあるかを、シンプルにはっきりと強調するのが大事。

・そのあと一週間ぐらいかけて、何度かリマインドして気持ちを盛り上げる。

ステップ2　実施

・前日まで気持ちを盛り上げるけど、当日はひたすら淡々と過ごす。
・保育園から家に帰って夕方～夜にやることの順番や内容、時間帯などは一切変えない。
・寝る時間になったら、子どもたちを部屋に連れて行って、「おやすみなさい」と言って電気を消して去る。
・子どもが起きてきたら（たぶん起きてくる）、淡々と、しかし断固として（no pressure!）「寝ようね」と言って部屋に連れて行く。
・これをひたすら繰り返す。

ステップ3　定着

・ステップ2を一晩できたら、次の日の朝にご褒美（シールなど）をあげる。
・ステップ2を三日、一週間、二週間できたらそれぞれの場合に

5

・ご褒美（絵本をたくさん読む、お絵かきパーティをするなど）を与える。

「そんなにうまくいくでしょうか」と言ったら「大丈夫です」と断言された。そんなに言い切って大丈夫なのか。

ついでに、クマが最近になってかなり反抗期らしい反抗期を迎えてきたことも話した。「三歳になる下の子が、何かにつけて嫌がり、とても激しく怒るんです。つられて私も大声を上げてしまい、あとで嫌になります。どうしたらいいでしょうか」と。

リータの答えは次の通りだった。「あなたにもお子様にも、怒りたいときに好きなだけ怒る権利があります。ただ、怒りで他人を動かすことはできないことも、同時に学ばなければなりません」

「怒りで他人を動かすと、その人間関係は壊れるでしょうし、ヘルシーなものにはなりませんね。お子様にはそのようにわかりやすくお伝えなさってはいかがでしょうか。怒ってもいい、でも私はあなたが怒ったところで対応は変えません、と」

「もちろん、あなたご自身も、怒りでお子様を動かすことはできません」

「お怒りの際は、お子様に大声を上げるのではなくこちらにお電話ください」

怒っちゃだめ、と言われるのかと思ったら違った。でも、「怒るな！」と言われるより厳しいかもしれない。

三月の初めに、リータがうちに来た。私が電話をかけたときに「じゃ、そのうちお宅に伺いましょうか？」と提案され「ぜひ！」とお願いしたからだった。リータは小一時間、体調から子育てまで相談に乗ってくれた。

「ユキにやってほしいことがあるんですが、自分から進んでやらないんです」と言ったら「一週間待ってください。一度は自分から進んでやる瞬間があるはずです。その瞬間を捉えて、何かのご褒美を与えましょう。ご褒美と言っても、お菓子やおもちゃでなくてもいいんです。あなたが彼女の振る舞いにうれしく思っていることだけ、丁寧に伝えたら充分です。もちろんお菓子をあげてもいいですけどね、甘いものを習慣づけるのは歯によくないから」。

私が「クマが、嫌なことがあるとものを投げたり上の子に手を上げたりするんです」と言ったら「手を上げたら、その手を握って、目を見て、静かに「人を叩いたらいけない」と言いましょう。それから、あなたには下のお子さんが何に対して、どのように感じているかわかりますよね。それをゆっくり、小さな声で、言語化してみてはどうでしょうか。あなた自身にも、お子さんにも、感情を認識するガイドになるはずです」といったやりとりなど、視点の違いを感じた。

何より、緊急事態宣言中なのに、家に来てじっくり話を聞いてくれるだけで助かった。余裕あるなヘルシンキ市！　いや、住民税が京都市の倍あるから、これぐらいやってくれないと、もとが取れないかも！

5

それから一カ月して、私はまたリータに、一時間くらい相談に乗ってもらった。話題は「私が子どもに怒りすぎる」ことだ。どう考えても、親が三歳や七歳の子どもに激昂するなんてヤバい。でも怒り出したら止められないし、わりとしょっちゅう腹の立つことが起こる。どうしたらいいんでしょう。

リータの答えは、私が想像していたものとは少し違った。

まず言われたのは、「母親は人間でいられるし、人間であるべきです Mothers can be, and should be, humans!」ということだった。

次に、怒るのはＯＫ。むしろ怒り方によっては子どもへの教育につながる。なぜなら、怒りや悲しみを表現することによって、子どもに「あなたがこういうことをしたり言ったりしたら、相手は怒ったり悲しんだりする」と教えることになるから。それに、今のあなたはどう考えても ruuhkavuodet（peak years 人生の繁忙期）なのと、怒るときは困っているときであることを考えると、何かと腹が立つのはおかしいことではない。

そもそも怒ること自体に問題はない。怒り自体には破壊的な要素はない、それが虐待的な言葉や行動に結びつかなければいい。感情それ自体はいいも悪いもない、ただあるのだから、と。そして「あなたがどんなときにも母親として我慢しなければならないと思ったり行動したりしたら、あなたの子どもたちに「母親というのは何があっても我慢しなければならない存在だ」と教育してしまうことになります」とも言われた。いや、まあ実際そんなに我慢していない気がするのだけれども。

で、その上で腹が立ったり怒ったりしたときの具体的な対策として、以下のことを提案された。

1 「tunnepuhe」（emotional speaking、自分の感情を言語化すること）

＋自分へのタイムアウト

「母ちゃん今めっちゃ腹立ったわ！　せやしちょっとトイレ（庭・寝室・玄関などどこ

でも）行ってくる！」と言って席を外しましょう。子どものいないところで物を投げるなり枕を殴るなりご自由に。

2　「selvittely」（rewinding、ときほぐし）あるいは「vertaissovittelu」

こういうことで腹が立った、と確認しましょう。「母ちゃんがさっきこう言ったとき、あんたこう言い返したやん、あれがこういう具合で嫌やってん」のように、過去のどの発言や行動に自分が腹を立てているか説明し、相手側からの説明も求める。お互いに過去に起きたことについて共通の理解に達しましょう。

3　謝罪

もしあなたが abusive な発言・行動をしたと思うなら、その点について謝罪しましょう。子どもは身近な人間から、怒りの表現方法と謝罪の方法を学ばなければならないので、あなたがその手本になります。

フィンランド語講座っぽい感じすらあった。リータ、あんまり表情が変わらないし基本的に理屈通りのことしか言わないけど、あんたほんま、ヘルシンキ市に雇われてる天使やで……。

リータのアドバイスに感銘を受けつつ、それにしても私は、親がやるべきだと考えられていることが多いような気がしてならない。怒ること一つにしたって、ただ怒鳴ればいいわけではない（とりあえず別室に行けばいいっぽいけど、その後のフォローが必要）。でも、私が感情の赴くままに怒鳴ったり物を投げたりしたら、毒親街道まっしぐらだ。

それにしても、どういうときに毒親が生まれるのだろう。私の祖父母は、彼らの子供たちにとっていい親とは言いがたかったのではないかと思う。母方の祖父は、祖母以外の女性と何度も恋愛関係にあった。父方の祖母は、自分の娘を住み込みで働かせ、娘の給料の大半を持って行った。父方の祖父に至っては、家の金を持ち出して賭博に使い込み、自分の妻や子どもたちを殴っていた。

今だったら、三人とも毒親どころか、児童虐待で事件になりそうだ。それでも、父方の祖母は父や伯父・伯母たちから深く尊敬されていた。父方の祖父は自分を殴った彼の次男（＝つまり私の伯父の一人）を、父親に手を上げた息子だと言って許さなかった。母方の祖父は、母から手厚く介護され、多くの人に見守られて死んだ。

5

私は私の父母について、人格的に問題がないとか、社会的に立派だとかいうつもりはない。それでも、彼らは自分たちの親を毒親と呼ぶ必要もなく、教育を受け、就職し、結婚して子どもをもうけ、退職するまで職業生活を送った。私の親世代と比較してさえ、家族に期待される役割が大きすぎるのではないのか。

私は、子育てが負担なのではないのだ。大変なことも多いけれど、子どもの育つのを見るのは面白い。何より、私が子どもを愛する量より、子どもが私を愛する量のほうがずっと多い（愛というより依存ではないかとも思うけれども、私には愛と依存をどこまではっきり線引きできるのかわからない）。

忙しくても、子どもたちを通じて私が経験することも多いし、そこから示唆を得ることもある。子どもたちがいなければ、この文章も書けなかった。トータルしたら十分、もとはとっている。

私は、自分がこの人たちにひどいことをしてしまうことと、その権能が自分にあることが嫌なのだ。子どもが親にしか頼れないのなら、親の権力はなんと巨大だろう。

子どもを産んでも産まなくても、育てても育てなくても、どういうふうに育てても、どこかから何か批判されたり嫌なことを言われたりするなら、誰が子育てなんてししたいと思うだろう。毒親を大量生産する仕組みが、近代化と一括りにざっくりと呼ばれてしまう仕組みの変化の中にあるから、こんなに家族が問題にされるのではないのか。いや、家族に殺された人は近代化以前にもたくさんいただろう。家族は牢獄にもなりうる。家族に傷つけられ、家族を負担に感じる人が多いのは、家族に課される役割が大きく、そこに家族ならざる人の介入する機会が限られているからだ。

近代家族は毒親を生む。親の権力と、親を批判することのできる規範の両方を生む。子どもの就労が遅かったり子ども世代が経済的に親より困窮したりして「独り立ち」が遅くなるなら、子どもが親子関係について思い悩む時間や機会はより一層増えるだろう。

私はたくさんの人との関係のなかでのみ、まともな人間でいられる。私は、私を恐れさせ、緊張させ、恥入らせる人々の前でのみ、なんとかまともに振舞うことができる。そうでなければ、私は自分の持つ力に酔い、傲慢に振る舞い、誰かを傷つけてもなんとも思わないだろう。

子どもと親だけの関係は、危険だ。社会が——つまり、制度と規範と多様な人間関係が——介入してくれなければ、私は子どもたちにとって危険な存在になる。

5

秋ごろ、クマを三歳児健診に連れていった。近所のテルベユスケスクス（Terveyskeskus、かかりつけ医・歯医者・子育て支援室がセットになった健康センター）で、一時間ほど時間をとって、私とクマと保健師さんの三人で、身体計測と言語能力・発達診断をゆっくりと受けた。

子育て支援室のある廊下に、女性の横顔と赤ん坊の手が写った写真の下に「Alä jää yksin（一人でいないで）」と書かれたポスターが貼られていた。クマはそれを見て「なんて書いてあるの？」と質問した。私が「ひとりでいないで、って書いてある」と答えたら、クマは「お母さんが？」と重ねて質問した。

うっかり「なぜ私たちはこの写真を見て、この写真の女性が、この場合はこの小さな手をしている赤ん坊と思われる人物の母親であると読み取り、かつ「ひとりでいないで」というメッセージが、子育てをする女性に向けられたメッセージであると読み取ることができるのだろうか。そこから考えてみよう」と言いそうになった。実際には「そんな感じちゃう。お父さんはどこ行ってはるんやろな」と答えた。

あのポスターの「お父さん」がどこに行っているのか、この「お母さん」がなぜ一人になってしまっているのかは、フィンランドの育児支援制度に答えを見つけることができる。彼女はおそらく、在宅育児手当を受けつつ、自宅で子どもと二人きりになっている。在宅育児手当は、二〇二〇年まで、子どもが生まれてから満三歳になるまで受給できた。

高橋睦子は、フィンランドにおける子育て支援は歴史的に二つの段階を経て発展してきたことを指摘している。[1]まず、保育サービスを整え、社会保障制度に産休・育休を導入し、育児の一部を家族から切り離すと同時に、一歳未満の子どもが親のケアを受けられるための時間と経済保障を確保した。次に、当初は母親に限られていた産休・育休制度を男性（さらに同性カップルや事実婚カップルなど多様な家族関係）に拡大し、在宅育児手当を設けた。

在宅育児手当は、ソビエト連邦の崩壊に伴い、フィンランドが大不況に陥った一九九〇年代に拡充されていった。「1990年代の労働市場の状況からすれば、在宅育児手当は実質的には女性の失業対策の一手段という意味合いがあった。在宅育児手当は多くの母親たちの支持を得ているが、この人気の背景には（父親よりも）母親による子育てへの選好（ジェンダー役割）と雇用問題とが共存している」[2]と指摘されるのももっともだ。

フィンランドでは、法律によって地方自治体は希望する保護者と子どもに対して保育を提供しなければならないと決められているにもかかわらず、〇歳から二歳までの子どもの保育園利用率は二八パーセントにとどまる。[3]この数値は、他の北欧諸国やOECD平均と比較しても低く、日本の〇歳～二歳児の保育園利用率とほぼ変わらない。[4]

三歳児の保育園利用率は六八パーセント、四歳児になると七四パーセントとかなり増加するが、それでも日本（三歳児＝八〇パーセント以上）より低く、OECD平均（三歳児＝七一パーセント、四歳児＝八六パーセント）と比較しても低い。[5]六歳になって就学前準備教育（＝義務教育）が始まると、この割合はほぼ一〇〇パーセントに近くなり、EU全体の割合や他の北欧諸国と比較して同水準になる。[6]

この状況を生み出している原因として指摘されるのが在宅育児手当であり、高学歴で雇用機会の多い女性たちが、在宅育児手当を短期間受けて比較的早く職場に復帰するるのに対し、学歴が低く雇用機会に制約を受けやすい女性たちに手当を長く受給する傾向があると指摘されている。[7]

言い換えれば、フィンランドの育児支援政策は、男性に対して産児・育児休業を取りやすくすることによって父親の育児参加を促進しようとする反面、特定の女性たちとその子どもたちに対して「三歳までは親元で」を政策的に支援している。ミラーとワーマンの著作を引きながら、高橋はこの状態を「フィンランドの育児支援制度は、育児における男女平等を推進することよりもむしろ、女性が育児と労働とを両立できるようにすることを第一義的な政策目標として機能してきた[8]（Millar & Warman, 1996, p.31）」と指摘する。

現大統領サウリ・ニーニスト（Sauli Väinämö Niinistö、保守系政党・国民連合の出身）はかつて、両親のいずれかが失業中の場合についても子どもが自治体保育を利用できるよう保障すべきとする主張に対して「子どもと過ごす時間がありながら、親が子どもから逃げようとするのは、人道上受け入れがたいことだ」と述べたことがあるらしい。[9]

ニーニストの発言は、母親にだけ向けられたものではない。父親も、同性カップルでも、養子縁組や離婚・再婚によって生まれた家庭でも、親は子どもから逃げるべきではない。でも、もし親が子どもから、あるいは子どもが親から、逃げられないのなら、そっちのほうが人道上、受け入れがたいことが起こるかもしれない。逃げ道はたくさんあるほうがいいのではないか。

私は自分の家族を好きだ。でも、家族なるものは一般的に、そんなに素晴らしいものだろうか。一度作ってしまったら取り返しがつかなくて逃げ道もないような怖い組織を、積極的に作りたいと思う人は、そんなにたくさんいるものだろうか。

5

在宅育児手当は、子どもが生まれてから三歳になるまで受け取ることができた。しかし、二〇二一年八月から、この在宅育児手当は短縮されることになった。背景には、女性の労働参加率を高めようという政府の方針がある。

フィンランドの企業活動研究団体EVAは、フィンランドに住む移民女性（二〇歳〜六四歳）の労働参加率が全体で五〇パーセント未満にとどまり、スウェーデン・ノルウェー・デンマークと比較して低いレベルにあることを指摘した。EVAに勤める経済学者サンナ・クッロネンは、その理由を在宅育児手当とフィンランドの硬直的な学歴慣習と就職差別に求めている。[10] フィンランド以外の国で取得した学位や資格が、フィンランドでなかなか認められないことは、これまでも指摘されてきた。[11]

同じ資格・学歴を持つソマリア系の名前の持ち主とフィンランド系の名前の持ち主

なら、フィンランド系の名前の持ち主の方が面接に呼ばれる機会が多いことは、ヘルシンキ大学のアフマド・アフラクの論文で指摘されている。

アフラクの論文によれば、ある仕事に五〇〇人が書類で応募した場合、フィンランド系女性の名前の持ち主なら二二〇人が面接試験に進むが、ソマリア系男性の名前の持ち主ならその数は三〇人程度になる。[12] さらに、フィンランドに移住した人々あるいはその子ども世代の生涯賃金は、フィンランド出身でフィンランド人の名前を持ちフィンランド語を母語とする人々より低い傾向があることも指摘されている。[13]

これらの報道や実験の結果を見るに、移民女性の労働参加率を高める方法は、在宅育児手当を廃止すること（だけ）よりも、フィンランドで就職するにあたって外国で取得した学歴や資格を生かせるように企業に働きかけ、就職差別や就職後の差別を改めるほうが効果的ではないかと思われる。しかし、フィンランド政府は移民の就労に関する差別に働きかけるよりも在宅育児手当を短縮することを選んだ。

二〇二一年以後、一歳半以上になった子どもは、保育園に通い始めるか、在宅育児手当を受けないまま親元で育つか、どちらかになる。おそらく保育園の利用者は増えるだろうが、保育園や保育士を増やす施策は、少なくともヘルシンキ首都圏では、報道されていない。フィンランドの保育士の月額の給与は、二〇一八年時点で二三五六ユーロ程度で、同じ年の国内平均（三五四七ユーロ）と比べると一二〇〇ユーロほど低い。[14]

全体として何がしたいねん。もし在宅育児手当の廃止が、女性（移民女性）の就労を増やすことではなく、国家や地方自治体の支出を減らすことを目的としているなら、合理的だろう。でも、将来世代への負担を減らそうとして国家や自治体の支出を減らした結果、将来世代が生まれてこなくなった国がある。日本っていうんだけど。

5

子どもを産んでから、私は「母の日」というものが嫌いになった。だいたい一年に一日しか感謝しないってどうよ。感謝するなら毎日、何度でも感謝してほしい。それに、「母であること」なんてめちゃくちゃ漠然としたことについて感謝されても、どう喜んだらいいかわからない。

母の日を祝いたい人は祝えばいい。でも、母のことなんて思い出したくもない人だっているだろう。その人たちにとって母の日とはなんと重苦しい日か。そして何より、母であること自体を褒めたり持ち上げたり、母なる存在に何かを期待する発言って、どこの誰がやったとしても、あやしくない？

それなのにフィンランドでは、母の日にも国旗が掲揚されて（フィンランドでは、祝日は休日ではなく旗の日 liputuspäivä と言われ、そこらじゅうで国旗が掲揚される）、大統領が母親にメダルを贈呈する。国家が望ましい母親像を設定して、それにかなう女性を表彰するなんて、気色悪いことこのうえない。

私はいい母親ではない。だからきっと子どもたちは、きっともうすぐ私のことを憎んだり恨んだりするだろう。早寝早起き、塩分控えめで野菜多めの食生活を心がけたり、子どもを通じて教育や保育に参与観察ができたりすることを考えると、子どもに助けてもらっているのは私のほうだ。私が子どもを愛するより、私は子どもに愛されている。その愛が、主たる養育者に対する依存と区別がつかないものであったとしても。その依存は重すぎて、みんなどうやって持ちこたえているのか知りたいくらいだ。だから私は、私が母であることなんかに感謝されたくない。学校や保育園や世間か

5

ら強制されて感謝するなら、なおさらだ。むしろ私の行う個別の活動について「これは好き」「もっとやってほしい」「これはやめてほしい」「できればここはこうしてほしい」等々、具体的にフィードバックしてくれるほうが助かる。

親が不安定だと子どもも不安に感じるに違いないから、私はいつだって強くてどっしりして、ユキとクマにとって頼れる母ちゃんでありたい。でも、私は全然そうなっていない。私が安定するためには、私自身の人格を陶冶したり、モッチンといい関係を維持したりするだけでなく、時間とお金の余裕と、私が困ったり苦しんだり眠れなくなったりするときに助けてくれる人や仕組みが必要だ。

リータは最近、私に教えてくれた。私がコントロールすべきなのは、子どもたちではなく自分自身だと。子どもの面倒を見るということは、子どもの世界に私が入ることではなく、子どもが子どもの世界を楽しむのをただ見守ることだと。

私が大人になればなるほど、私は子どもにとって安全な大人になる。そして、そういう安全な大人を子どものまわりに増やすことで、子どもたちは頼る具体的な相手を見つけられる。だから、ソサエティ（この場合は人間集団と社会福祉制度）が大事なのだろう。

ユキが小さかったとき、私はあの保育園でユキを見てもらえてよかったと思う。私が眠れなくなったとき、健康診断と電話相談と育児相談を無料で受けられてよかったと思う（なお、健康診断の結果を見たかかりつけ医は「数値が良すぎる」と笑い、「で、このパーフェクトヘルシーなあなたは、私に何をしてほしいというんですか」と言った。あれは北欧ジョークだったのかも知れない）。だから私は、ユキとクマに、世の中の人はだいたい頼りになる、向こうから寄ってくる人は怪しいけど自分から助けを求めたらだいたい誰かが助けてくれる、いざとなったら世の中の仕組みに頼りなさい、と教えたい。

誰かにずっと助けてもらわなければ、私は——もしかしたら、少なからぬ人々が——あっという間に毒親になってしまう。子どもと、その子どもを主に育てる人の他に、どれだけ多くの人が関われるかによって、きっと子育ての内容は変わる。

コラム2

社会とクラブと習い事

二〇一八年に初めてフィンランドに来たとき、私はユヴァスキュラの多文化センターで開かれていたフィンランド語講座に参加していた。ボランティアの先生たちが、ほとんどマンツーマンか二~三人のグループでフィンランド語を教えてくれた。そのとき、私に教えてくれていたライヤさん（七〇代くらいの女性で、退職する前は言語療法士だったらしい）は、私に「フィンランドはソサエティの国なのよ」と言ったことがある。「社民党が政権を担っている期間が長い」みたいな意味かと思ったら、大人も子どももクラブ活動が盛ん、という意味だった。

私が「フィンランドで出会う人たちはみんなとても自分のペースを大切にするから、ソサエティを作るのは不思議だ」と言ったら、ライヤさんは「自分の好きなことを友人とやるのは最高。誰とやるかも大事だが、一番大切なのは何をやるかで、誰と一緒にやるかというのは二番目に大事。自分のやりたいことを自分がやる、その気持ちを同じくする人とやるから楽しい」「家族だろうが親友だろうが恋人だろうが、やりたいことが違うこともあるでしょう？」と言った。

この発想も、ユキの担任のマリア先生が言った「友達を作ることにフォーカスするというより、一緒に遊ぶ瞬間を増やしていくことにフォーカスする」に似ている。人間関係が先にあるのではなく、遊ぶことが先にある。そのあと、それを共有する関係を作る。個人の「やりたいこと」が基本単位である場合、人間関係は意図して作らないと手に入らない。というわけで、みんな寂しいからクラブを作り、やりたいことをする。そして、やりたいことが終わったら、自分の家に帰る。ある意味さみしい。でも気楽。

フィンランドで「子どものクラブ活動」というと、学校の部活を指すわけではない。そもそも日本でいう部活というものが存在しない。ヘルシンキ市には小学校一、二年生向けに学童保育もあるが、京都市の学童保育の料金の倍くらいする。

それで、大人も子どもも習い事をしたりクラブに入ったりする。子どもたちがまだ小さいうちは、平日の夜や週末に家を空けられないので、まだ私はクラブ活動はできない。でも二人がもう少し大きくなったら参加したい。

二〇二一年の年始から春にかけて、ユキとクマはスケート教室とサッカークラブに通った。どちらも三カ月ごとに開講され、ずっと続けることを前提としているわけではないので、例えば夏になったら水泳教室に通って、冬になったらまたスケート教室に通う、ということもできる。

月謝は日本と比べてやや安いし、こちらのほかの物価と比べると安い。新型コロナウイルス感染対策のため、サッカーもスケートも、保護者は子どもの様子を見ることができなかったが、あとで教室の先生方からビデオが送られてきた。ユキとクマは氷やボールとお友達になるよう努力している感じだった。

私の中学は、私が通っていたときには部活動に参加することが強制されていた。今にして思うと、先生方の負担も大変なものだっただろう。そう思うと、京都で私が体験した部活とヘルシンキにおける「クラブ活動」とはだいぶ違う（なお、私は部活動の参加を強制されること自体は大嫌いだった、というか、高校に入るまで、学校という空間自体が嫌いだった)。

でも、私はだからフィンランドっていいことばっかりだよね！　とは思わない。公教育の場で競争がないからといって、子どもがあらゆる場で競争にさらされないわけではない。強制されないがゆえに、不平等が生じることがある。つまり、親の状態が子どもの運動や勉強やその他さまざまなスキルに影響する可能性だ。

ヘルシンキ市内には、運動や音楽、芸術やプログラミング、科学実験など、子ども向けにいろいろなクラブ活動がある。それらはどれも、日本の習い事と比べると高くない。

でも、そこに子どもを通わせようと思うと、保護者あるいはシッターが連れて行かないといけない。そして、ヘルシンキは広い。フィンランドのほかのどの都市と比べても公共交通機関は充実しているが、車を持っていないと面倒なときは、やっぱりある。子どもが二人いて、それぞれに違うクラブに入りたかったら、手間は二倍になる。三人いたら、もっと大変だろう。

親としては、子どもが自分で行ける範囲に、子どもの興味のある（あるいは親が通わせたい）クラブがあればいいが、場所によってはそういうクラブ活動に参加するためには車で通わなければならないところだってある。当然ながら、フィンランド全土がヘルシンキではないのだから、地方に行けば行くほど、移動手段は家庭の車に限られる。

というわけで、必然的に、車があったり、時間の都合をつけやすい仕事だったり、親が子どもの課外活動にある程度の時間と手間をかけることが負担でないと感じられたりしなければ、子どもは学校でしか運動や音楽、芸術などに触れることができない。

これは、家庭によって子どものさまざまな経験に大きな差がついてしまうことを意味する。例えば、同じヘルシンキ市内に住むA家とB家でも、A家は子どもが一人、家に車があり、両親の仕事時間に融通がきく。B家は子どもが三人、両親はフルタイムで現業、家に車がない、という場合に、A家とB家の子どもたちが同じようにクラブ活動に参加できるとは考えにくい。少なくとも、B家の保護者にとって、子どもたちが自分で行けるクラブ以外の場所に連れて行くのはA家よりも大変だろう。それに、親自身がそのような環境で育っていない親の子どもにとって、クラブに参加するハードルは、フィンランドで生まれ育った人よりも高くなるかもしれない。その点、安く、学校で、スポーツや文化活動の場が与えられていれば、誰にでもアクセスしやすいだろう。教員の負担や人間関係の閉鎖性など、改善策はたくさんある。私は学校なんて大嫌いだった。それでも、部活という選択肢があることにはメリットもある。

もちろん、クラブや習い事の費用が比較的安いという点でハードルは下がっているけれども、子どもが小さいうちは、保護者にかかる手間暇も無視できない。でも、課外活動への参加が個々人の意思に委ねられるとき、参加の可能性はその個人や家族の意思にだけ委ねられているのではない。その個人や家族の就労状態や親自身の体験、子どもへの期待や子どもにどの程度の手間暇とお金をかけるか、といった判断にも依存している。

その結果は、もしかしたら、「競争がない」という言葉でイメージされるものとは真逆の、わりと冷たく残酷なものかもしれない。

6

「いい学校」

小学校の入学手続き

お金と勉強がないとガストンに捕まるんか。

――ユキ

・

二〇二一年八月中旬から、ユキはヘルシンキでも小学校に通い始めることになった。二〇二〇年一二月の半ばにはヘルシンキ市から家に、小学校教育（教育の趣旨、学校選択の方法、母語維持教室、学童保育）について書かれたパンフレットが届いた。といってもすべて例によってフィンランド語かスウェーデン語なので、おそらく同じ内容が書かれていると思われるヘルシンキ市のウェブサイトを見て、ページをGoogle翻訳で英語に直して、大体の内容をまず把握した。

フィンランドでは、小学校と中学校は一貫で、基礎学校Peruskouluと呼ばれている。私立の小中学校は、学費的に我が家の選択肢に入らない。高い税金を払っているんだから、公立に行ってほしい（どれくらい高いかと言えば、二〇二〇年、私の手取りは一〇〇万円ほど減って住民税は倍くらいになった）。

そもそも、ヘルシンキ市には私立の小中学校がほとんどない。例外はシュタイナー教育を実施している学校とインターナショナルスクール、ロシア学校・フランス学校・ドイツ学校といった、ほかのEU加盟国あるいは隣国の語学および教育プログラムに基づく学校くらいだ。以前、同僚のアーダに「フィンランドに、いわゆるいい学校ってあるんですか？」と質問したら「家から一番近い学校」と言われた。

6

ということで、普通は自分の家のある学区の市立小学校に入学手続きをする。「普通は」と書いたのは、公立の学校でも英語や音楽、体育の授業時間数が多い学校もあり、基礎学校一年生と七年生（日本の中学一年生）の進学時には、そのような学校に出願することもできるらしいからだ。

銀行ＩＤなるものを持っている場合、出願手続きはオンラインで行える。もし持っていなければ、指定された日（平日の午前中あるいは夕方）に学校に行って、そこで直接手続きできる。

手続きの方法はとても簡単だった。まず保護者としてログインし、自分の子どもの名前・年齢・住所・社会保障番号を確認する。次に、自分の家のある学区の小学校が自動的に割り振られているので、その小学校に進学する場合はそれを選択し、ほかの学校に進学させたい場合はその学校の名前を入力する。すると次の画面に進み、子どものの第一外国語を英語・フランス語・ドイツ語から選ぶ（なお、フィンランドではフィンランド語とスウェーデン語が公用語なので、その二言語は最初から必修だ）。そのあと確認画面が出てくるので、入力した情報を確認して、出願手続きは終わる。三月以降、子どものアレルギー情報や宗教・倫理教育に関する要望のアンケートと、母語維持教室に参加したい場合はその旨を申告するリンクが送られてくるらしい。

ヘルシンキ市には母語維持教室というものがある。フィンランド語とスウェーデン語以外の言葉を母語にする児童・生徒は、自分の母語を維持するための教育を、週に一回、二時間程度、受けることができる。実は、ヘルシンキには日本語補習学校という学校がある。ユキとクマをそこに通わせることもできるのだけれども、母語維持教室に通わせて様子を見てからでいいのではないかと、今のところ私は思っている。

母語維持教室は無料で、子どもをそこに通わせたい保護者は、三月以降に希望を出す。もし子どもの通っている学校以外のところで開講され、バスやタクシー等で子どもが自分でそこに通うなら、定期券やタクシーチケットが支給されるらしい。

ただし、この母語維持教室は自治体の予算で運営される。フィンランド中部のユヴァスキュラ市では、市内に住む五〇〇人の児童・生徒に対して二五の言語教育を行なってきた。しかし、報道によれば二〇二〇年の夏から秋にかけて、市は予算削減のためにこの制度を廃止しようと提案した。結局、保護者の強い反対運動で、母語維持教室は継続することになったが、人口減少・税収減少・緊縮財政を旗印にすれば、移民児童の母語の維持などという「贅沢」は敵だと思われるのかもしれない。[1]

6

二〇二一年の年明けごろから私は、マンネルヘイム児童福祉連盟の紹介で、近所に住むエリナという女性と知り合った。週に一回会って、冬だとマイナス一五度くらいの外を歩きながらよもやま話をするという不思議な関係だけれども、私は彼女から仕事の話を聞いたり、彼女の趣味の話を聞くのが面白い。

エリナは小学校の先生で、大学では算数・数学教育を専門に学んだ。エリナ曰く、彼女の働いてきた基礎学校が一昨年、古くなったので改築された。改築されたあと、その基礎学校は統廃合され、児童数が増えた。けれども、正規の教員の数は増えず、臨時雇用教職員の数が増えただけだった。さらに教室のいくつかは、エリナ曰く「オープンオフィスのよう」で、広い体育館のような部屋を仕切って勉強するらしい。でも、エリナはこう話していた。

「一年生って七歳でしょう。まわりで誰かが話していたら集中できるはずがない」

「目的に応じた教室をいくつも作るんじゃなくて、一つの教室だけ作って自分たちでアレンジするほうが安上がりだからそういう作りにするんじゃない？」

「私は昔の教育方針のほうが好き」

「とにかく教員の数を増やしてほしい。新しいことをすればいいってもんじゃないけど、何かに挑戦するのは構わない。でも人を減らしておいて、新しいことをしろって言われても無理[2]」

フィンランドの教育には競争がない、と言われる。でも、毎年、タブロイド紙には全国統一試験の結果に基づいた今年の高校ランキングが掲載される。エスポー市のウェブサイトでは、エスポー市立高校の四つがランキング上位に入ったと書いている。[3]競争があろうがなかろうが、ランキングはどうやら存在するらしい。

いま私たちが住んでいるアパートから一番近い基礎学校は、ヘルシンキでは珍しく、どうも「ええとこ」らしい。なぜそう思うかというと、不動産屋の広告を見ると、わざわざ「あの〇〇学校の校区です」と書かれていることがあるからだ。うちのまわりの家の値段がやたらと高いのはそのせいなんだろうか。

同じアパートの上の階に住む李さんには、三人の子どもがいる。一番上の子はインターナショナルスクールに、下の子二人はその学校に通っている。李さんは以前、ご飯を食べながら「このアパートに入れてラッキーだったよ。プレミアみたいなものだ」と言っていた。

6

私が「私は小学校から高校まで、近所の公立学校に行ったから、いい学校とかそうでない学校とか言われても、よくわからないんですよ」と言ったら、李さんは「中学生や高校生にとって、どんな友達ができるかは重要なことだからね」と言った。

私は、正直なところ、ユキとクマがどの地域の学校に通ってもかまわない。私は小学校から高校まで、京都市立の学校に通った。中学校は「柄が悪い」とか「荒れている」と言われていた。私の実家のある地域は、京都市内の中でも地価が安い。モッチンと結婚して新居を探したとき、とある不動産屋は私の実家のある地域を「あそこは安いんですけども、柄が悪いから」と言った。どういたしまして。

小学校の五・六年生のとき、私はときどき、仲の良かったルミコちゃんの家に遊びに行っていた。あるとき、ルミコちゃんのお母さんが「沙羅ちゃんもあんな中学じゃなくて、私立に行けばいいのに」と言った。その理由は「悪い友達ができておかしな道に行ったらいけない」というものだった。

私はその発言が、すごく嫌だった。この人は、自分がそういうふうに（「あの学校に通っている子＝柄の悪い子」という図式で）人を見ているということを、自分の娘の同級生に、口に出して言うのか、と驚いた。それに何より、「いい学校」と「悪い学校」が

近所の森からヘルシンキの街なかを臨む

あること自体が嫌だった。

あなたが悪い友達というのは、私たちの同級生のことでしょう。あなたは、そういう目で私たちを見ているのですか。あるいは、私にあなたのような目で私の同級生を見るようになれというのですか。今ならそういうふうに言葉にできるけれども、そのときは「なんか嫌な感じ」でしかなかった。

とはいえ、私立中学を受験してみたいという気持ちが、その当時の私になかったわけではない。「受験勉強」という非日常的な何かに取り組むとしたら楽しそうだと思った。私は自分が勉強が得意だと思い込んでいたので（井の中の蛙の思い上がりに過ぎなかったが）、中学校受験という「エリートコース」を格好いいとも思った。でも、その行為が「悪い友達」と一絡《ひとから》げにされたあの子たちと別の世界に行くことだとしたら、それは、格好いいことなのだろうか。

そして、私立中学に行くことが選択肢でありえた時点で、私は恵まれていた。それに気づかなかったことを、今になって恥ずかしく思う。

6

中学二年生の終わりだったか三年生の初めだったか、当時の担任の先生と進路について話したことがある。私はその担任の先生を馬鹿にしていた。彼は英語教師なのに、英語の発音が平仮名のようだった。彼は自分の担任するクラスが、校内合唱コンクールで金賞を取ることに血道を上げていた。彼は授業中に平気で下品な冗談を言った（例＝「ええか、understand という単語は、under が下、stand が立つ、つまり「下が立つ」や。何も関係ないけどな」）。そんな中年男性を尊敬できる中学生がいたら会ってみたい。

私が彼に「新しいことを学ぶのは、それ自体で楽しいことじゃないんですか」と言ったら、その先生は馬鹿にした表情を浮かべ、私に「それは、君んちが恵まれとるんやな」と言った。そのとき、私はとても自分が恥ずかしかった。

中学校の同級生の中には、パスポートを持っていない子もいたし、外食は年に二回しか行かないと言っていた子もいた。自分の勉強する机のない子はごく普通だった。中学のホームルームの時間には、担任の先生がヤマザキのスナックパンと牛乳を買ってきて、何人かの同級生に渡していた。

私の父は、私が本をほしがったらほとんどいつも買ってくれた。彼は土曜日になると、朝にクラシックの音楽を流していた。私の母は、私をピアノ教室に通わせてくれたし、美術館やコンサートや歌舞伎や能を見に連れて行ってくれた。家には加藤周一や堀田善衛や小林秀雄や埴谷雄高の本と、母の好きなジャズのレコードがたくさんあった。父が買ってきた画集もたくさんあった。

もちろん、画集もコンサートも能も歌舞伎も、塾より安いだろう。でも、私はそういうものを当たり前のように見て育った。両親はどちらも大学を卒業していて、大学という場所が世の中にあり、そこに通う学生がどんな人たちなのかを知っていた。あの小太りの先生に指摘されるまで、私はその状態を恵まれたことだと思ったことがなかった。

「新しいことを学ぶのは、それ自体で楽しいことじゃないんですか」と言ったとき、私の念頭にあったのは、識字教室で日本語を学ぶ在日一世の女性たちの姿だった。

一九七〇年代後半、大阪に、教育を受ける機会を奪われ、文字を読み書きすることができない在日一世の女性たちを主な対象とした識字教室ができた。私の両親はそこで出会った。

6

同じような教室が京都にもできて、私の母は私と妹が幼い頃、毎週一度、そこに私たちを連れて行った。母が在日一世のおばあさんたちに日本語を教えている間、私と妹は、同じように連れてこられた子どもたちと別の部屋で絵本を読んだり遊んだりしていた。私は保育園にいるあいだに、どういうわけか平仮名と片仮名を読み書きできるようになった。

ここに来ているおばあさんたちは、なんでこんな歳になって、時間にも体力にも余裕があるわけでもないのに、なぜ平日の夜にこんなところに集まるんだろうか。どうしてこのおばあさんたちは、私が下手くそな字を書いたら、こんなに褒めてくれるんだろうか。字を読んだり書いたりするのって、そんなに楽しいことなのか。勉強ってそんなにすごいことなのか。

だから、ユキが「母ちゃんはなんで勉強が好きなん？」と質問したとき、私は大体こんなことを答えた。

まず母ちゃんは新しいことを知るのが楽しい。漫画読むのも問題解くのも同じ。でもそれだけやない。母ちゃんの伯母さんたちも、母ちゃんのハルモニ（韓国語で「おばあさん」）も、みんな勉強したかった。昔は、日本でも韓国でも、女の人は文字なんか読んだらあかんって言われて、みんな勉強できひんかった。その時間があるんやったら働いてこいって言われて働かされた。あんたのハラボジ（韓国語で「おじいさん」）はそのお姉さんたちのお金で大学に行った。

母ちゃんの親戚の女の人たちは、昔は、みんな字を読んで、勉強して、自分の力で生きていきたかった。自分でお金稼げへんかったら、無理やり結婚させられた好きでもない男の世話にならなあかんかってん。生きていかれへんから。母ちゃんのハルモニは「字が読めたら私は金持ちになれた」って言うてたらしい。

残念やけど、あんたのワンハラボジ（ひいおじいさん）は、日本に来てからは、めっ

6

ちゃあかん人やった。金稼げへん、それどころか家の金どっか持ってく、酒飲みまくり、家族みんな殴る、最悪や。でも、そんな男でも別れられへんねん。金なかったら。今でも、自分より勉強ができたり自分より金稼いだり自分より元気のある女が嫌いな男はその辺にアホほどおる。みんなガストン（ディズニー映画『美女と野獣』に出てくる、ディズニー悪役大会で上位に入りそうな人物）の手先や。そんなんと一緒におったら自由もクソもあらへんで。

せやし、金と勉強は、人間を自由にするんや。金はモノやない。人間同士のやりとりや。勉強は、人間が作った人間以上の世界を教えてくれる。こんなクソみたいな世界じゃないものもあるって見せてくれる。

女の人たちは、みんな、自由になりたい自由になりたいってずーっと思ってきたんや。こんなガストンみたいな男と一緒におらなあかんのは嫌や、もっと素敵な世界を知りたい、もっと好きなように生きていきたい、みんなそない思てはってん。勉強は、そのための手段でもある。

ほんで、勉強したらあかんって言われてきた人たちが勉強することは、それ自体、好きなことするってことやん？

勉強すること自体が自由になることやねん。あんたは母ちゃんの伯母さんたちにも会えへんかったし、京都の学校で勉強してはった韓国のおばあさんたちもほとんどみな亡くならはったけど、その歴史は知っとかなあかんで。勉強は人間を自由にするんや。だから勉強は楽しいんや。

と、私としては子育て史上最高にいいことを言ったつもりだったけど、ユキは「そっかー、お金と勉強がないとガストンに捕まるんかー」とまとめていた。もうちょっと感銘を受けてくれてもいいんだよ！

私は今でも、何かを学び、調べ、知り、伝えることの意義を疑わない。そのことと、私の中学校の同級生たちの中に、学ぶことの面白さや意義を積極的に見出せなかった人がいることと、識字教室に足繁く通っていた在日コリアン一世の女性たちがいたことは、どれも矛盾しない。

自分でない人間のものの見方や考え方、自分以外の人間たちが（大半が男だったり西洋人だったりするのは非常に腹立たしいが）これまで作り、調べ、話してきたことを知ることで、自分が生まれたときに与えられた条件からも、自分自身からも、自由になる。

本を読むのは、今のくだらない自分を壊す手段の一つだ。

でも、別に何かを学ぶことが楽しくない人だってたくさんいる。私はたまたま人に何かを教える仕事についたから、その意義を感じる機会が多いだけだ。

世の中には、ほかにもいろんな方法がある。識字教室に来ていたおばあさんたちは、私にはわからない言葉で、彼女たちの間でしか通じないような歌を、即興で作って歌っていた。あの歌は、日本語の読み書きと同じかそれ以上に、あの人たちを生きさせてきたのではなかったか。それでも彼女たちが日本語を学ばなければならないと感じたのは、日本社会が彼女たちの生きる方法を奪ってきたからではなかったか。

私の伯母は、日本語の文字が書けないことの悔しさに自殺しようと思ったと私に話した。「銭湯に行く」と嘘をついて識字教室に来ていた女性たちもいた。彼女たちにとって、日本語を学ぶというのはどういうことだったのだろう。なぜあなたは文字を学べなかったのか。そのあなたが学ぶのは、なぜ日本語なのか。

もちろん彼女たちは、生活の中で日本語の読み書きが必要だからそれを学んでいたのだし、それはたしかに自由と解放を目指す活動だった。でも、どこかの窓口で「あんた自分の住所も書かれへんのか」と彼女たちを辱めた人だって、勉強なり試験なりが得意で、本を読むのが大好きな人だったかもしれないではないか。

何かを学ぶことによって、何から自由になり、何に従うことになるのだろう。同級生たちの状態を見ていながら「新しいことを学ぶのは、それ自体で楽しいことじゃないんですか」と言った私は、自分が恵まれていることも見えていなかったし、あのおばあさんたちがどういうハンディを負いながら、どのような歴史的・社会的な背景のもとで識字教室に来ていたかも見えていなかった。

最近になってようやく、父は私に、自分は実は音楽はよくわからなかったが、お前の教育のために土曜日の朝だけはクラシックを流していたのだと言った。そうだと思う。だって、彼は毎週日曜日の午後は競馬中継を見ていたから。

それでも、父はそういう正統的（とされる）文化を学び、自分の子どもがその文化を学ばなくとも身につくようにしたいと思ったのだろう。私の現状は父の理想から程遠いが、彼の行いはまるでピエール・ブルデューの『ディスタンクシオン』、いや『遺産相続者たち』に出てきそうだ。

私はずっと、自分の両親に高い下駄を履かせてもらっておきながら、それを自分の才能と勘違いしていた。その高い下駄の、特に父から履かせてもらった分は、私の伯母たちの児童期からの労働でできている。

6

私の中学時代には、「悪い友達」ができる機会もあったはずだ。でも、私はその機会を逃し、逃したことにも気がつかなかった。その理由はおそらく、私の民族的な出自でも学業成績でもなく、私が失礼で相手の気持ちを推し量れないからだろう。

今にして思えば、私は小学校のときからずっと、もしかしたら大学に入ったあとも、浮いていた（当時の自分は、どこにいても輪の中心でみんなと仲良くやっていると思っていた）。

中学生のとき、友達の家に遊びに行ったら、その場にいた子たちの何人かがタバコを吸い始めたことがある。私が驚いていたら、その子たちは「ほら、パクさんがびっくりしてるやん。やめとこ」と気を遣ってくれた。

彼らはおそらく、私が教師に告げ口すると思ったわけではなかった。そうではなく、単に私が驚いたからやめたのだった。部活の先輩から「あんたはこんなところにいる人じゃないんやで」と言われたこともある。たしかに、彼らの優しさと気遣いの中で、私は傲慢で、自分のことも誰のことも見えていなかった。あんなふうに優しくしてもらうべきではなかったのかもしれない。

高校に入ると、小学校・中学校の友達とはまったく違う人間関係があった。高校の修学旅行でアメリカに行くとき、「エコノミークラスなんて初めて乗るわ」とわざわざ口に出していうような子がいた。高校の同級生たちには、自分の個室のある子も珍しくなかった。好きな服のブランドを挙げられる子がいた。でも、その高校の同級生たちだって、中学校の同級生たちと同じように、悩みや苦しみを抱えていただろう。

私は結局、そこを経ていま楽しく生活しているから「子どもはどこの学校でもいい」と思うんだろう。そして、私が「そこを経」ることができた理由の一つは、私が傲慢で、冷たく、怠惰で、他人の感情を想像することができず、人間関係から浮き上がっていたからだ。

いま住んでいる社宅には、二年以上住み続けることはできない。それで私たちは、新しく住む家を探している。でも、ユキは就学前教育の友達と同じ小学校に行きたい、と言って引っ越ししたがらない。ユキは六歳になってすぐ、いきなり知らない言葉の飛び交う、訳のわからない世界に放り込まれて、どれほど心細かっただろう。そこで一年間過ごしてできた友達とまた別れて、新しい人間関係を作るのはたしかに負担に違いない。

6

でも、その「いい学校」のある地域だからかどうかは知らないが、とにかくこの地域は家が高くて、私の給料では住める気がしない。隣の学区に行けば、家の価格は一〇〇〇万円くらい安くなる。でも、保育園のママ友やご近所さんが言うには、そこは移民が多くて「いい地域ではない」らしい。私も移民ですが、と言おうとすると、わざわざ「日本人や韓国人の移民じゃないよ」と付け加えられることもある。

こうやって、「いい学校」には、前からそこに住んでいる家庭の子か、そこに子どもを通わせたいと思って転居する家庭の子が通うことになる。孟母三遷というが、息子のために三回も引越した孟子の母は、資金に余裕があったか不動産取引がうまかったのだろう。子を持つ親は、もしかしたら、子どものためを思って、地域の不平等を拡大させるのかもしれない。

7

チャイコフスキーと博物館

日本とフィンランドの戦争認識

自分の被害さえ認識できねえやつらに、
加害なんかわかるわけねえずら。

――祖父

私の祖父は、二〇一九年の四月に死んだ。祖父は頭の回転が早く、体力があり、演説もうまく、よく食べてよく眠り、仕切りたがりで傲慢だった。祖父は昔は、ハンサムで女性に人気があったらしい。

でも、孫にとってはかつてどんなハンサムであろうが今やシワシワだし、そもそもハンサムかどうか以前に祖父である。彼は一九二七年に静岡市で生まれ、アジア・太平洋戦争で日本が負けるまで軍国少年で、そのあとは静岡県内の教育雑誌の編集をしていた。

私は小学生になる前から高校生くらいまでずっと、夏休みと冬休みになると、静岡に住む祖父母の家に遊びに行った。今でも、東海道新幹線の窓から外を見て、山肌に茶畑が見えてくると、静岡には停まらない「のぞみ」に乗っていても、なんとなく楽しい気持ちになる。

ということはきっと、私は祖父母の家でとてもいい思いをしたのだろう。夏休みには、海水浴や海のすぐ近くの市民プールに連れて行ってもらった。冬には水族館やサファリパークに連れて行ってもらった。祖父母の家の近くの公園や図書館や、祖母の働いていた大学の近くにある美術館に行くのも好きだった。

7

晩年の祖父と私の関係は、あまりいいものではなかった。祖父は、昔ながらの左派的な考えの持ち主だった。私が『韓非子』を読んでいたら、「おめえは中国に興味があるのか」と質問し、私が「うん、まあ、そんな感じ」と肯定も否定もしないでいたら、「中国に興味があるなら、これを読まなきゃなんねえずら」と言いながら『毛沢東語録』を持ってくるくらいには左だった。でも、彼は家の中では、祖母に「おい、カズコ、お茶！」と言えばお茶が出てくると思っていたくらいには、封建遺制を体現していた。私は彼のそういうところを馬鹿にしていた。

祖母は、お金持ちの家のお嬢様で、家族の反対を押し切って祖父と結婚した。祖母は一九二〇年代生まれにしては背が高く、「原節子は私に似てる」と真顔で言うくらい、自分の外見に自信を持っていた。

祖母は管理栄養士の養成課程の教員をしていたこともあって料理がうまく、何かと言うと私たちに「ライセンスを取りなさい」と言っていた。祖母が認知症になって一〇年くらいして、私はようやく博士号を取った。そのあと祖母に会ったときにも、祖母はいつもの通り、私に「あんた、ライセンスは取った？」と質問した。私が「博士号を取りました。博士号はライセンスに入りますか」と答えたら「よろしいでしょ

・

う」と言ってくれた。

祖母はまた、何事も手を抜かない人だった。私の保育園の連絡帳には、一カ所だけ、祖母が書いてくれたところがある。「今日は、沙羅と商店街に行き、そのあと鴨川でお散歩をしました。この子は私相手になら何でも思い通りになると思っているようですが、そうではないことを思い知らせてやりました」……何があったん。

祖母のほうが祖父より収入もあった。祖母は家事も育児も、舅と姑の介護もした。祖父は祖母と結婚したあとも、複数の女性と何回も恋愛関係があった。祖母はそれを知っていたし、それについて祖父に怒っていた。

そういうわけで、私は祖母が大好きで、祖父はそれほど好きではなかった。昔はハンサムだったかもしれないし、家の外では立派な活動家だか知らないけど、家の中ではただのわがまま男じゃないか。

そういう祖父のライフワークは、平和運動だった。彼が参加していた、静岡平和資料センターというところに、私と妹は子どもの頃に何度か連れて行かれた。そこには、静岡市の空襲を体験した人たちの体験画や遺品がたくさん展示されていた。それらの絵は子ども心にとても怖くて、三〇年くらい経っても忘れられない絵もある。

7

私は祖母から、祖父母の馴れ初めや、祖母の空襲体験を聞いたことがあった。祖母が学徒動員で軍需工場に行ったら、隣の学校の男子生徒から恋文をもらった、それで灯火管制の中、駿府城のお堀のまわりを祖父母は二人で歩いた。私の曽祖父は祖母のデートの相手が誰なのか確かめようとして家からこっそりついてきていた。

空襲の夜には、祖母の兄は肺炎で除隊されて家で高熱を出して寝ていたので、祖母は兄を布団と一緒にリヤカーに乗せて、自分はリヤカーを引いて、小学生だった祖母の弟と一緒に、親戚の住む用宗《もちむね》という港町まで逃げた。かわいそうだったのは、弟がリュックサックの中に飼い犬を入れたのだけれども、逃げている途中に強い風でリュックサックの蓋が開いてしまって、犬が恐怖のあまり飛び出して逃げて行ってしまったこと。弟は犬を追いかけようとしたけれども、祖母はそれを止め、弟はとても泣いた。燃え盛る街を逃れて、人々が避難した安倍川の橋の上にも川の上にも焼夷弾が降り注ぎ、川の水が燃え上がった。その夜に腕にできた、大きなやけどのあとを、祖母は私に見せてくれた。

「なんで戦争反対って思わなかったの?」と、隣で聞いていた母が質問したら、祖母はごく普通に「それしか知らなかったからね」と答えた。生まれてから一六歳で日本が負けるまで、戦争じゃなかったときなんてなかった。戦争しか知らないのに、戦争反対なんて思いつくはずがない。毎日は普段通りに過ぎるし、その中で楽しいこともある——あんたのおじいじと、夜にお散歩したりね。

祖父は体の丈夫な人だったが、二〇一八年の秋ごろ、心臓に異常が見つかった。そのあと祖父は次第に体調が悪くなり、二〇一九年が明けた頃には、水を飲み込むことすら難しくなってしまった。そのとき初めて、祖父が食道がんの末期だとわかった。彼の自宅で看取りたいという母の願いもあり、その年の四月の初めに、祖父は大好きな自分の家に戻った。その日は、私の母と妹とユキが、静岡の祖父の家に行った。私はクマと、京都の家に残った。

祖父はその日、退院して自分の家に戻り、ユキに写真集を読んでもらい、自分がデザインして出版した画集——あの、静岡空襲の体験画集——をユキに見せ、ほとんど声の出ない口で説明したらしい。それから夕方になって、私とクマがお風呂に入る前に、私はふと思い立って母にビデオ通話をかけた。

母が出て、ユキと私とで少し喋り、そのあと祖父にかわった。祖父は「おう、沙羅、

7

クマ」と軽く手を挙げた。私も「やっほー」「なんだー、おじいじ、元気そうじゃーん」とかなんとか言ったと思う。祖父たちがこれから晩ごはんだと言うので、私はそのあとすぐ通話を切り、お風呂に入った。

お風呂から出ると、私とクマがお風呂に入っていたあいだに、母から私の携帯電話に何度も着信があったことがわかった。はっきりと確信があって掛け直すと、やはり、あの通話の直後に祖父が死んだとわかった。

晩ごはんの直前だったのに。

おじいじ、あんた、お肉やお魚、たくさん食べたかったんじゃないの。ビールもお酒も飲みたかったんじゃないの。それとも、もう死ぬってわかってたのに、私とクマが静岡に行かなかったから、電話で顔を見るまでがんばってくれたの。

祖父の葬式では、なぜか「ゴッドファーザー」のテーマ曲が流れていた。葬儀屋さんは不審なほど陽気で、「はーい、じゃ皆さんで棺桶を持ち上げますよー。せーのっ!」とか何とか言っていた。母が急いで集めた祖父の写真を見ると、たしかに、昔はハンサムだったのかもしれないと思った。

ユキは、彼女の「大じいじ」が死ぬのを間近で見た。ユキの大じいじは、かつて私にしてくれたように、子どもを遊ばせるのが得意だった。彼は部屋中に紙を敷き詰めて、その上で好きなだけ、ユキに落書きをさせてくれた。庭で落ち葉をひっくり返して遊ばせてくれた。

もし元気だったなら、彼はきっと、ユキと西伊豆に泳ぎに行ったり、山登りをしたりしただろう。そういうわけで、ユキは大じいじが好きだった。昔のハンサムな大じいじの写真を見て「かっこいいやん」と言うくらいには。

ユキ、人間、大事なんは顔ちゃうで、笑かしてくれるかどうかやで、と私が力説しても「ほな、かっこよくて笑かしてくれるほうがええやん」と答えた。それはそうだ。

ユキは「ぐんたい」というものが大嫌いだ。彼女の大好きなばぁば（私の母）も、大じいじ（私の祖父）も、平和運動に関わっている。

私の父は、早期退職して、沖縄に行ってしまった。彼はときどき辺野古の沖でカヌーを漕いだり、埋め立てを監視したりしているらしい。だから、ユキとクマにとって、

7

ハラボジに会いに行くというのは、辺野古に行くことと同じだ。

日本で、小さい子どもに、軍隊や平和について考えざるを得ない状況を親が作っていいものかどうか、私はためらってきた。理由の一つは、私は、自分の母が、私たちのためだと言っていろいろな集会やデモを企画するのが嫌いだったことだ。

私はあなたに、そんなことをしてくれと頼んでいない。やりたいなら、自分がやりたいのだと言えばいい。私は、いや他人は、あなたの活動を正当化する道具ではない。行き先がママさんバレーだろうが、平和運動だろうが、子どもが帰ってきてから出かけるなら、出かけられる方にとっては同じだ。

胸を張って言えばいいのだ。私は、あなたのためではなく、私のやりたいことを、やりたいようにやっているだけだと。それで不便をかけるかも知れないが、私はかくかくしかじかの工夫によってあなたたちの生活を保障しようとしている、しかしあなたたちのニーズに沿わないところもあるだろう、改善点を知りたいから教えてくれと。

私が中学生になったとき、父が私に、ノートを一冊くれた。そこには、主要教科の勉強の仕方が書かれていた。それから最後に、彼は私の父ではあるが、子の父としてではない彼自身の人生もある、自分はそっちを生きざるを得ない、と書かれていた。

家庭を持つ人間が、一二歳の子どもに書く事柄ではないと思う。そのような振る舞いをするくらいなら家族など持たなければいいのに、ともそのときは思った。しかし、彼は正直ではあった。彼は実際、そのように生きている。

というわけで、私はユキが彼女の祖父母（私の両親）や彼女の曽祖父（私の祖父）の活動をどう考え、どう感じるかを観察しつつ、ユキから質問があれば、それに答えようと思ってきた。子どもを、自分の政治的傾向や、何らかの政治運動・社会運動に参加したりしなかったりする口実にはすまい、何をするにしても、しないにしても「これは母ちゃんのやりたい／やりたくないことなんや」と言おうと。

それから、「ぐんたい」について子どもに話したくなかったのは、もう一つ理由があった。私は小学生のとき、埼玉県にある丸木美術館に行って、帰り道に吐いた。母曰く、そのときに私は、美術館にあった「からす」という絵を見て、あの死体の中に私がいる、と言ったらしい。長崎の原爆で殺され、差別ゆえに埋葬すらされない朝鮮人の死体を、カラスがつつく絵だ。

中学生あたりから、何度か「日本と韓国が戦争になったら、お前はどちらにつくのか」と質問されるたびに、口では「どっちでしょうねー」と言いつつ、心の中では

7

「私がどうしたらいいかオロオロしている間に、お前みたいなやつが私を殺しにくるだろうから、私がその質問の答えを考える必要はない」と思っていた。

そういう感情に、あの潰れるような恐怖心に、何歳になってからなら耐えられるのだろう。耐えられるときなんて来るのだろうか。気づかないふりをできるようになるだけではないのか。そんな物事に、なるべくなら触れずにいるほうがいいのではないか。この子たちと「ぐんたい」との出会いを、なるべくあとにできないか。

そういうためらいは、ユキとクマを連れてハラボジに会いに行ったときに、緑ヶ丘保育園に子どもを通わせていた古い知人に会ったときに、普天間に住む知人の本を読んだときに、宮古島で子育てをする知人と親しくなるにつれて、壊された。彼女たちには、ためらう余裕なんて与えられていない。彼女たちの子どもたちは、あの美しい海を、あんなに反対した人々がいるのに埋め立て、保育園の上にヘリコプターの部品を落下させ、オスプレイの音で彼らを脅かし、基地を作ろうとする「ぐんたい」とそれを支える行政に、いつ出会えばいいかなんて選べない。

私がためらうことができるのは、私が彼女たちに基地を押しつけているからだ。押しつけているのは基地だけではない。恐怖心と怒りに出会わなければならない状態をも、私はあの人たちに押しつけている。あの人たちは、私たちのせいで、選べない。それなら、自分たちが誰かに「ぐんたい」を押しつけている状態にあることや、その状態を変えようとすることも、可能なかぎりわかりやすく教えればいい。

そういうわけで、私は二年ほど前には、ユキの質問することにはなるべく答えるようにし、私のしたいことや行きたいところに彼女がついて行きたいのなら、それを止めないことにした。

沖縄の「慰霊の日」の少し前、私が近所の図書館で借りてきた戦争画の本に、ユキが興味を示した。それで、私は「慰霊の日」にユキに藤田嗣治や小早川秋聲の戦争画を見せながら、内容を説明することになった。その少し前に、彼女は私の実家で『てっぽうをもったキジムナー』(田島征彦作)を読んだところで、自然と日中戦争・太平洋戦争と沖縄戦の話になった。

七〇年くらい前に日本が戦争を起こし、沖縄が戦場になったこと、たくさんの人が殺されたこと、今日が「慰霊の日」と呼ばれる日であること、沖縄でないところに住んでいる日本の人は、沖縄に戦争を押し付けて、沖縄のお魚やサンゴやジュゴンを殺

7

して知らん顔でいること、それをやめてほしいと沖縄の人たちがずっと言っているのに無視し続けていること、などなどを、不十分ながら話してみた。

ユキは黙って聞いたあと、しばらくして「神様は、自分が作らはった世界も人も好きやから、戦争があかんねんな」と呟いて、納得したような風情でいた。そんな話をしたわけではなかったんだけれども。

晩ごはんを食べていたら、ユキが突然「ぐんたいはあかん。ユキはぐんたいには入らへん」と言い出したこともあった。私とモッチンで「どうしたん、いきなり」「保育園で戦争の絵本でも読んだ?」と訊いたら「何も読んでない」。

「でも前に母ちゃんに「なんで王様と女王様やったら女王様が少ないの?」って訊いたら「昔は男の人だけが戦争に行くから、女の人はえらくないって言われてて、それで女王様が少なかった」って言った。ぐんたいがなかったら女王様もいっぱいいたはずや」

「ぐんたいが使うための飛行場を作るから海の生き物が死ぬ」

「女の人がどこかに閉じ込められて男の人に体を触られる場所も、ぐんたいが使うからやって、このまえ韓国で勉強した」と言い募った(この発言の一カ月ほど前、私はソウルに行った。そのとき、私はユキを戦争と女性の人権博物館に連れて行った。でも、そのとき私は別に、ユキに何かを教えようと思ったわけではなかった。単に私が行きたかったから行った。そして、どういうところに行くかを説明し「父ちゃんと待っててもいい、行きたくなかったら行かなくてもいい。できれば母ちゃんは行きたい」と言ったら「じゃ行く」と気軽にOKしたので、ま、いいかと思って連れていってしまった)。

繰り返しになるが、私はいわゆる「偏向教育」をしようと思ったことはない。もしかしたら「右でも左でもない普通の日本人」にとっては左傾しているのかもしれないが、しかし議会制民主主義と資本主義経済を原則として肯定する人間は、左翼ではないだろう。平和と基本的人権と自然保護を肯定することの、どこが偏向しているだろうか。そもそも、どれも私が行きたいだけだ。私が子どもを、自分がどこかに行ったり行かなかったりすることの口実にするのは、おかしいと思うから。

それにしても、ユキはこんなに真面目だったら、そのうちキリッとした表情で、自分を「右でも左でもない普通の日本人」と言いだすんじゃないだろうか。いや、言い出したら言い出したでかまわない。そうなったら、とりあえず右と左の定義から議論しよう。母ちゃんはその日まで、お前の挑戦を待っているよ。

7

ユキの大好きだった大じいじは、優秀な成績で旧制中学を卒業した。担任の教師は、彼に旧制高校に入るように勧めた。でも、町の寿司屋だった彼の両親は、息子が旧制高校に入ることなど、そもそも考えつかなかった。結局、彼は当時の清水市にあった、寮制の商船学校に入った。太平洋戦争の末期、そこは特攻隊を送り出す場所だった。

ある日、彼は冗談で「どうせ死ぬなら、うまいものを食べてから死にたいよなあ」と言った。それが年長者に咎《とが》められて、彼はひどいいじめを受けた。いじめと呼ぶのは適切ではない。彼は数日間にわたって食事を与えられず、集団で暴行を受けた。

このままでは死んでしまう、と感じた彼は、夜にこっそりと商船学校を抜け出した。抜け出したのは清水空襲の夜だった。命からがら静岡の駅に着いた彼を、たまたま彼の妹が見つけて、焼津《やいづ》にあった彼の父の実家に連れて帰った。それから二カ月して、日本は降伏した。誰も、彼の逃亡を問題にしなかった。

ユキの大じいじは、怪我をして衰弱していたので、しばらく寝たきりで過ごした。ようやく歩けるようになったある日、彼は焼津の街をぶらぶらと歩いていた。すると、どこかの家から、今まで聞いたことのないような音楽が聞こえてきた。彼はその音楽に感動し、往来で涙を流した。

見ると、その音楽は、レコードを外に向けて流している家から聞こえていた。彼はその家の人に、誰の何という曲なのか質問した。家の人は「チャイコフスキー」という人名と、「悲愴」という曲名を教えてくれた。そのときにようやく彼は、自分たちは負けたのだと知った。こんな音楽を作る人々に負けたのだと。

九月、私たちはヘルシンキから電車で一時間弱のところにある、ハメーンリンナという街に行った。湖のほとりに立つ、中世に作られたお城が有名な街だ。お城の横には、お城の入場料に二ユーロ追加したら入れる軍事博物館 Museo Militaria があった。せっかくだから、と入ってみたら、中世から国連軍への参加まで網羅する、展示の数も内容も充実した博物館だった。

フィンランドは二〇世紀に（といっても、フィンランド共和国の歴史は一九一七年から始まる）、三度の大きな戦争を経験した。そのうち一つは内戦で、二つは隣国ソビエト連

7

邦との戦争だ。フィンランドは一九一七年までロシア帝国の一部だったが、ロシアが革命で混乱している最中に独立した。

しかし、その翌年には共産主義を奉ずる赤衛軍と、反共産主義的な白衛軍とに分かれて内戦が始まった。白衛隊は地主、都市の役人、資産家を構成員とし、総数は八万から九万、指導者はロシア帝国軍で活躍したカール・グスタヴ・マンネルヘイム（一八六七－一九五一）。赤衛隊は指導者層を除くと都市の労働者と地方の貧農から構成され、総数は約八万四〇〇〇人、うち四〇〇〇人がロシア人義勇兵だったとされる。[1]

さらに、ロシアで二月革命が勃発すると、第一次世界大戦中にフィンランドに駐留していたロシア軍は撤退した。しかし、撤退する際に赤衛隊に武器や食料を渡した。他方、スウェーデンから一一〇〇人の義勇兵が、ドイツで訓練を受けたイェーガー（ヤーカリ）隊が、さらに政府の要請によって、一九一八年四月には九五〇〇人（一万二〇〇〇人という説もある）のドイツのバルト師団がフィンランド南西部に到着し、白衛隊に合流した。[2]

一年にわたったフィンランド内戦は、白衛軍の勝利によって終わった。赤衛軍の指導者はロシアのカレリア地方に亡命し、一九一八年八月にモスクワで共産党政権を樹

ハメ城

立した。一方、捕まったほとんどの赤衛隊の兵士は収容所に送られた。内戦によって、三万から三万八五〇〇人が死亡したが、そのうち三分の一は戦闘ではなく、戦後に収容所の劣悪な環境で栄養失調になったり、世界的に流行していたスペイン風邪にかかったりして死亡した。

内戦後には「白のテロル」「赤のテロル」と呼ばれる復讐や虐殺によって、さらに人命が失われた。[3] 自分たちで作ったはずの国を二分して、互いに殺しあったフィンランド内戦の記憶は、二〇世紀の末になるまで、公の場で語られてこなかった。

7

フィンランドが共産主義と反共産主義との対立を、表面上であっても克服したのは、第二次世界大戦、正確には、ソヴィエト連邦との二回の戦争によってだった。フィンランドでは、一九三九年一一月三〇日から一九四〇年三月一三日までの最初の対ソ戦を「冬戦争」、四一年六月二五日から四四年九月一九日までの二度目の対ソ戦を「継続戦争」と呼ぶ。フィンランドの公式的な歴史記述では、この二つの戦争は一続きのものだ。

軍事博物館の、第二次世界大戦前のフィンランドについて書いている箇所では、当然ながらスターリンの極悪非道ぶりが強調されている。フィンランドはソ連と戦争する意思はなく、戦争に巻き込まれた、フィンランドは中立でいたかったけれども無理だった、独立を保つためには仕方がなかった、と。

たしかに、冬戦争では、ソ連と比較して兵力も装備も何もかも乏しいフィンランド軍の死者は、ソ連軍の死者の約六分の一だった。戦争には負けたが、善戦したという記憶はフィンランド人の団結力と勇敢さの物語になった。負けたから国民の物語になるだなんて、まるでオーストラリアの第一次世界大戦における、ANZAC壊滅の神話のようだ。

しかし、現在では、二度目の対ソ戦争時、つまり継続戦争ではフィンランドに領土拡張の意図があったことが明らかになっている。[4] フィンランド政府は継続戦争の始まる前に、歴史学者や地理学者に、ソ連領カレリア地方（ロシア・カレリア）がフィンランドの領土であるとドイツに証明する覚書を作成させていた。フィンランド軍はロシア・カレリアを占領した際、ロシア系住民や共産主義者とみなした住民を強制収容所に送り、カレリア人やイングリア人など「近親民族」とみなした人々に対しては同化政策をとった。

フィンランドは、ナチス・ドイツによるソ連侵攻計画「バルバロッサ作戦」にも参加した。今回もフィンランド軍を率いたマンネルヘイムの誕生日には、ヒトラーがドイツから訪れた。贔屓目に見ても、フィンランドは戦争に巻き込まれた、独立を保つためにはソ連と戦争するよりほかになかった、とは言いがたい。

フィンランドは一九四四年九月に、モスクワ休戦協定によってソ連軍に敗北した。ドイツ軍はフィンランドからの撤退時にラップランドでフィンランド軍と戦闘に入り、ラップランド戦争 Lapin sota と呼ばれる焦土作戦を行った。

戦後、フィンランドは世界で最初に「人道に対する罪」という罪状を設けた戦争責

7

任裁判を行った。当初、フィンランド政府は戦争時の指導者を引退させて裁判に代えようと試みたが、フィンランド共産党の流れをくむフィンランド人民民主同盟が選挙で躍進し、連合国管理委員会副議長サヴォネンコフの度重なる要求と、一九四五年五月にドイツが敗北して国際的な戦争責任追及の声が大きくなったことから、自国で戦争責任裁判を実施する方針へ変更した。[5]

戦時中に大統領だったリスト・リュティをはじめとする指導者八名は全員が有罪となり、禁固刑に処されたが、全員が服役中に仮釈放・恩赦を受けた。その後、フィンランドはソ連の管理下に置かれ、一九四七年にパリ平和条約を結ぶまで、国際社会に復帰できなかった。

今でも、フィンランドには一八歳以上のすべての男性に兵役あるいは民間役務が義務付けられている。フィンランド国籍を持つ男性は、一八歳の誕生日を迎える年の一月一日から二九歳になる年までの間に、六カ月から一二カ月の兵役に就かなければならない。兵役を終えたあとは予備役に就き、再訓練に加わる義務がある。二〇一九年には、宗教的信条を理由に徴兵を拒否してきたエホバの証人の信者も、良心的兵役拒否ができなくなった。[6]

二〇二〇年三月に、新型コロナ感染症拡大防止のため、フィンランドで緊急事態宣言が発令されたが、その緊急事態がもともと想定していたのは、もちろん（ロシアとの）戦争だ。

私はフィンランドの歴史をほとんど知らない。けれども、ごくわずかな知識とともにこの博物館の展示を見て、あることに気がついた。この博物館の展示は、戦争を悪いことだと前提していない。広島や長崎の原爆資料館のような、私の祖父が集めてきたあの絵のような、戦争がどんなに恐ろしく、避けなければならないものであるか、この博物館は示していない。

軍事博物館なのだから当たり前かもしれない。けれども、では例えば、日本で「あの戦争」を「よい戦争」だと言えるだろうか。

戦争の放棄は、それを肯定するか否定するか、今の日本国憲法第九条をどう評価するかにかかわらず、日本の戦争と軍隊について話したり考えたりするときの前提になっている。そして、その前提を共有しないものを目の前にして、私は戸惑った。

なぜだ、なぜ戦争が悲惨じゃないんだ、そんなはずはないのに。まさか、あなたたちは、都市爆撃をほとんど受けずにソ連と停戦交渉に入ったからか。我らが愚かな帝国政府が、みすみす連合国軍に臣民を殺させたのと違って、あなたたちはさっさと戦争を終わらせたからなのか。

日本の平和主義なんて欺瞞だ。日本は朝鮮戦争の特需で経済復興を遂げ、沖縄に軍事基地を押し付け、ベトナム戦争の後方基地になり、アフガン戦争でもイラク戦争でも米軍を支援してきたではないか。自衛隊をどう評価し、どのように位置づければいいのか、一九五四年以後の日本政府は、ずっと説明できずにいるではないか。憲法九条こそ、野党が糾合できない理由であるかもしれないではないか。[7]

そういう指摘は、おそらく正しい。それでも私は、この淡々とした戦争の肯定を――あるいは否定の欠如を――目の前にして、恐怖を覚える。たとえ、日本における戦争の否定が、あくまでも自分たちこそが被害を受けたのだという認識に立っているのだとしても。

私の祖父は戦争が終わったあと、チャイコフスキーを聴いて涙を流した。でも、彼は（あるいは大日本帝国は）彼が涙を流した、あの美しい音楽を作る人々にだけ負けたのではない。

私の祖母は静岡空襲の夜まで、戦争が自分に被害を及ぼすものだとは思っていなかった。それよりずっとずっと前、彼女が物心つく前から、日本は中国を侵略し、東南アジアを侵略していた。

しかし、加害の認識と被害の認識は、排他的ではない。私の祖父母は、そのことを知っていた。彼らは、自分たちだけが被害者だなどとは言わなかった。

私の母は大学生になってから、日本が行ったアジアの国々への加害を知った。祖父の関わる静岡平和資料センターが、自分たちの被害の経験ばかり収集したり語ったりして、日本の侵略や加害行為に踏み込まない、と批判した。すると、祖父は苦々しい顔をして「自分の被害さえ認識できねえやつらに、加害なんかわかるわけねえずら」「加害ってえのは、痛くねえからアタマ使わないとわからねえのよ」と答えたそうだ。

彼らが死んだり、話せなくなったりして、あの恐怖の感覚と、「アタマ使わないとわからねえ」ような加害の認識を受け継ぐことができなくなったら、いったい何が、

7

日本で戦争と軍隊を語るときの前提を支えるのだろう。

祖父は最初の給料でチャイコフスキーの交響曲「悲愴」を買い、蓄音器を借りて、擦り切れるほど聴いた。ある日、祖父は自分に組織的リンチをした将校をバスの中で見つけた。祖父はその将校に声をかけ、バスから降ろしてめちゃくちゃに殴った。その将校はただの弱いやつで、惨めだったと、祖父は私の母に言った。

戦争とはどのようなものなのかについての認識は、その戦争の結果として成立した国家をどのようなものと見なすかについての認識ともつながっている。祖父はずっと、「俺は反権威・反権力だ」と言っていた。それはあんたが他人の言うことを聞きたくないだけちゃうんか、あんたは自分が権威・権力やったら平気なんちゃうんか、と私はずっと思っていた。

祖父はたしかに、自分が一番でなければ気のすまない人だった。でも、彼はもしかしたら、飢えて、殴られて、寝込んで、殴り返して、私の気づかなかったことに気づいたのかもしれない。そのために死ねと言われていた国家と、その権威と権力とを体現したあの人物と、それに連なる人々が、実に惨めだったことに。あれに騙されてはならない、あれに騙されて俺たちは自分の被害すらわからなくなっている、そう痛感した人々が、どうして国家と政府を自分のものとして信頼することができるだろう。

戦後の日本人に愛国心がなくなったのは、戦争に負けたからだ、アメリカのせいだ、という言い回しを聞くたびに思う。自分たちを騙した惨めなものたちが、罰されずに生き延びている国家を、どうして愛することができるだろう。政府への信頼に基づいて、政府の指示に従う人々の姿は、愛国者にとっては美しい光景かもしれない。でも、自分たちを騙し、苦しめ、そのまま放置した組織の指示に、変わらず従う人間たちの姿は恐ろしいか滑稽か、どちらかあるいは両方ではないか。

祖母は、私に戦争の話をするとき、私を見てはいなかった。彼女の目には、若かった祖父や、あかりの灯らない静岡の街や、火の中に走って行ってしまった犬や、燃え上がる安倍川の水が映っていた。私は、そのどれも見ることはできなかった。

私がもしユキとクマに静岡空襲について話すとして、私に何が話せるのだろうか。私は体験の欠如を知識で埋めるしかない。でも、その知識は、どのような感情に基づくのだろう。私は、自分が戦争や軍隊に対して何もすることなく、死にゆく人々に頼ってきてしまったから、彼らがいなくなったあと、どうしたらいいかわからない。

7

博物館の外に出ると、戦車や砲弾が、美しい湖と中世からのお城を背景に、ずらりと並んでいた。ユキとクマはとっくに飽きて、湖のほとりにある公園に遊びに行きたがっていた。公園もお城も、湖も太陽の日差しも、絵に描いたようにきれいだった。

この博物館の展示のように、割り切る道もあったのかもしれない。でも日本は、社会全体として、そのような道を取ってこなかった。そうやって維持されてきた平和主義という建前は、欺瞞的なのかもしれない。でも、人々はその建前を欺瞞でないものに作り変えるために、その時代なりの方法で努力してきたのではなかったか。

そして今は、戦争そのものが、きっと昔の戦争と変わってしまっていて、かつてとは違う種類の悲惨が、かつてとは違うところに起こっていて、そして結局、私が感じてきたあの胸のつぶれるような恐怖は、度合いを変えることなく続いている。

コラム3

マイナンバーと国家への信頼

フィンランドには個人番号（社会保険番号とも呼ばれる）がある。フィンランドへの滞在が認められると、「誕生日＋4桁」の番号が記載された滞在許可証が発行されるが、その「誕生日＋4桁」の番号が個人番号に当たる。その番号は保険証にも記載され、フィンランドで病院にかかるときや免許証を申請するとき、銀行口座を開くとき、住民登録をするとき、保育園・小学校の入学手続きをするとき等々、およそ公的な生活をするときに必ず必要になる。

この個人番号について、ときどき、フィンランドと日本を比較する記事を見かける。例えば次のようなものだ。

コラム 3

「国連が発表する「世界で最も幸せな国ランキング」で四年連続トップの北欧・フィンランド。幸せの鍵の一つは、全ての公共サービスに対応する個人識別番号「マイナンバー」にあるようだ。日本では普及率がいまだ約三割と低迷するマイナンバーカードも、フィンランドでは全国民が持ち、日常生活のあらゆる場面で大活躍している」「国への信頼があるからフィンランドでデジタル化が進んだ」[1]

「フィンランドのセキュリティ技術は欧州でも最先端だと言われており、法整備も進んでいるが、それだけではない。フィンランドにあるけれど日本には欠如している重要な要素がある。それは「信頼」だ」「政府への信頼度が高いのは、個人預金の残高が低いことにも表れている。何かあったときに政府が福祉で守ってくれるという信頼感があるので、個人が貯蓄をする必要がないのだ」[2]

さて、フィンランドの貯蓄率が低い理由は、貯蓄をする必要がないから（だけ）ではなく、給与に対して物価と税金が高すぎるからではないかと疑ってしまうが、それはさておき、この二つの文章は「フィンランドでは公共サービスに個人番号が幅広く利用されている」「フィンランドは政府への信頼度が高い」「個人番号の幅広い利用と、政府への信頼度の高さはフィンランドの幸福度の高さを支えている」という三点で論旨を組み立てている。

もし、このそれぞれの要素について日本と比較するのであれば、「日本では公共サービスに個人番号が利用されていない」「日本では政府への信頼度が低い」「個人番号が利用されないことと政府への信頼度の低さは日本の幸福度の低さを支えている」ということになるだろう。

まず、日本でマイナンバーがなければ受けられない公共サービスの数は多くない。二〇二〇年のOECD調査の結果によれば[3]、日本で中央政府（national government）を信頼していると回答した人の割合は全体の四二・三パーセントで、フランス（四一・〇パーセント）、スペイン（三八・二パーセント）、ベルギー（二九・五パーセント）などと比較すると高く、韓国（四四・八パーセント）やメキシコ（四五・九パーセント）、ロシア（四七・八パーセント）などと比較すると低い。政府への信頼度が最も高い上位三カ国はスイス（八四・六パーセント）、ノルウェー（八二・九パーセント）、フィンランド（八〇・九パーセント）だ。

また、必ずしも強く相関するわけではないが、国際連合による世界幸福度報告書World Happiness Reportでは、幸福度が高い国ほど政府への信頼度が高くなる傾向にある。なぜなら、指標の一つである「腐敗認識度perceptions of corruption」は、実際の腐敗の度合いを測るのではなく、汚職がどの程度あると認識されているかを測る指標だからだ。通常、ある国で政府の汚職が広く知られていれば、その政府への信頼度は低く回答されるだろう。

他方「個人番号が幅広く利用されているのは、国民が政府を信頼しているからだ」という仮定は正しいのだろうか。私は、この問題を検討した論考を見つけられなかった。

ただし、日本で個人番号が幅広く利用されていないのはなぜかという疑問に答える研究なら、すでに出版されている。その本、『番号を創る権力』（羅芝賢著、二〇一九年）は、福祉国家の発展に伴う行政機能の拡大と国民・住民登録制度の変遷を主に日本で、そして韓国・アメリカ・イギリス・スウェーデンなどとの比較によって論じている。

そのスリリングな展開は実際に読んでいただくとして、この本で印象的なのは、歴史のある一時期に、急速に福祉国家の建設に向けた制度を作る場合に（スウェーデンがこの例にあたる）番号登録制度が整備される点だ。反対に、長期間にわたって様々な省庁が独自の登録制度を作っていった場合、すべての制度を横断する統一的な個人登録番号制度はなかなか作られにくい（アメリカ、イギリス、日本がその例に当たる）。

また、国家への信頼度の高さと個人番号登録の普及度合いとはそれほど関係がない。韓国は国民番号の普及の度合いでは日本と段違いだが、先に引用したOECD調査の結果を見ると、国家への信頼度の高さは四四・八パーセントと日本よりわずかに高い程度だ。同じように個人番号による「デジタル化」が進んでいると言われるエストニアも、国家への信頼度は四六・五パーセントで、アメリカ合衆国と同じ数値だ。

ということは、おそらく、個人登録制度の普及度合いと政府への信頼度とは、特に関係がない。政府への信頼度の高さは世界幸福度調査の結果に影響を及ぼすが、国家への信頼度が高くなくても個人登録制度は普及し得るし、その普及度合いはむしろ、福祉国家が制度化された歴史的経緯に影響されている。

そして、国家を信頼するのは、それほどいいことなのだろうか？　日本の現代史の中で、国民が国家を信頼して手ひどく裏切られたことはなかっただろうか？　その清算が終わっていないのに、あるいはその清算など最初から問題にされないまま数十年が過ぎたのに、そこに生きる人々が国家を信頼していたら、不思議ではないだろうか。

個人登録制度の普及度合いと国家への信頼度との間には、特に関係がない。個人番号が普及しているからフィンランドは幸福度が世界一だという議論は正しくない。フィンランドは、日本の社会問題を見出したり語ったりするときの鏡ではない。なぜ、どのような日本の社会問題が語られるときに、フィンランドがその対象に選ばれるのかということ自体は、別の興味深い問題だけれども。

8

ロシア人

移民・移住とフィンランド

ほな、看護師さんをしながら政治家になれるんやな！

――ユキ

ヘルシンキに引っ越してきてすぐ、コロナ禍による緩やかロックダウンが始まる前、私は中古で買ったばかりの自転車に乗って（フィンランドにもメルカリやジモティーのようなサイトがある）、近所を自転車で回ってみることにした。四〇分ほど走って北東のほうに進み、途中で大きなスーパーを見つけた。ちょうど冷蔵庫に何もなかったので、その駐輪場に自転車を止め、スーパーに入った。

私が買い物を済ませて出てくると、駐輪場に男の子たちが数人、たむろしていた。見たところ、小学校の五、六年生か中学校に上がったくらいの歳のようだった。私が自分の自転車に近づくと、その子たちは笑いながら走っていった。子どもが笑いながら走っていくのをみると、だいたいの場合、私はそれほど悪い気分にはならない。でもそのときはなんだか、とても嫌な感じがした。

彼らの笑いは、私に向けられていた。それも、あまり友好的ではない笑いが。なんか嫌なことをされたんじゃないか、と思いながら自転車で出発して五分後、私は自分のタイヤに大きな釘が刺さっているのを見つけた。やられた、と思ったが、あの子どもたちがやったという証拠はない。結局、帰り道は自転車を押して帰り、次の日に生まれて初めて自分で自転車のパンクを直すことになった。

8

次の日、職場のコーヒールームで、私は前の日にあったことを話した。同僚のアーダは、私が正確にはどこに行ったのかと質問した。私がその地名を伝えると、アーダは「ヘルシンキで一番よくない場所の一つね」と言った。アーダ曰く、ヘルシンキに（あるいは、フィンランドに）「悪い地域」というものはなく、危険な場所もない。ただし、よい場所と、よりよい場所と、それほどよくもない場所がある。私が自転車を止めたスーパーのある地域は、それほどよくもない場所の中の、最もいまいちな場所だということだった。

フィンランドにも、「Yahoo! 知恵袋」のようなサイトがある。例えば「子どもあり、ペットなしの三人家族でヘルシンキに引っ越してきました。お勧めのエリアってありますか？」という質問を見たら「トピ主もっと情報よこせ。車あるの？　予算は？　子どもの年齢は？　それ次第」「墓」「住めば都っていうじゃん」といった感じの、真っ直ぐな回答が並んでいる。

そのサイトで、私が行ったあのスーパーのある地域の名前を検索した。「すごく国際的でグローバルなエリアだよ！　うちの子どもの小学校じゃ誰もフィンランド語なんて話してない（笑）」「駅前はアル中がひっくり返ってて最悪」「移民しかいない」

・

「移民しかいないかもしれないが、駅前で倒れてるアル中はフィンランド人だろ」などと書かれていた。移民ねえ……私も移民だからなあ。

同僚のジヒョンさんは「フィンランド人が言う「いい地域」っていうのは、フィンランド人しかいない地域のことだよ。「悪い地域」っていうのは有色の移民が多くいる地域ね」と笑っていた。私やジヒョンさんのような黄色い肌は、もちろん有色に決まっている。

こちらで知り合った日本人の女性と話していたとき、彼女がふと「この前ニュースで、フィンランドの一五歳～二四歳の中で一番人気の政党は「真のフィン人党」だと報道していた。私には、その若い有権者の気持ちもわからなくはない」という趣旨のことを言った。

私は彼女がそのような共感を抱く、その根拠のほうに興味を持った。

例えば自分一人だけ見るからにアジア系で、まわりがすべてヨーロッパ系のときに安心する人は、まわりがすべて「アフリカ系」や「ベールをかぶっている人」だったらどう感じるのか。その感じ方に違いがあるとしたら、それはなぜか。

8

「若い人たちが「真のフィン人党」に投票したいと思うのも仕方ないかな」と思うとしたら、まず、フィンランドが難民申請者や労働移民をどの程度受け入れているかを調べてみたらどうだろうか。総人口五五一万人のフィンランドは、二〇一九年の一年間に四五五〇人の難民申請者を難民と認定し受け入れた（日本は四四名、総人口一億二六一七万人）。もちろん、フィンランドの難民受け入れ数は、数でも人口比でも日本より遥かに多い。

しかしドイツ（一四万二五〇〇人、総人口約八三〇二万人）、フランス（一二万三九〇〇人、総人口六六九九万人）、スペイン（一一万八三〇〇人、総人口約四六九四万人）、ギリシャ（七万四九〇〇人、総人口約一〇七二万人）、イタリア（三万五〇〇〇人、総人口約六〇三六万人）の受入者数とは比較にならない。そして、ドイツの累計難民受け入れ数（一一〇万人）は、トルコ（三九〇万人）やコロンビア（一八〇万人）に及ばない。[1]

移民が移住先の国で低賃金労働者になり、あるいは不安定な就労状態におかれ、貧困に追いやられたとして、それは果たして移民の問題なのだろうか。中学校教師として働いていた人が、フィンランドで清掃員として働かざるを得ないとして、それは移住者の自己責任であると言えるだろうか。

•

アルコール依存症に苦しむ人や、貧困状態に置かれている人の割合は、フィンランド生まれの人と、移民一世と、肌の色や母語とでどのように違うだろう。そして、仮に、自身を「アフリカ系」あるいは「ムスリム」と見なす人々にアルコール依存症や貧困状態に置かれている人が多く見られるとして、それは彼らが置かれている社会的な差別に起因するとは考えられないだろうか。

二〇一八年、ヨーロッパ連合は「EUで黒人であること――平等・反差別・レイシズム」[2]という報告書を出版した。その報告書によれば、EU加盟国の中で、過去五年間に人種的ハラスメントを受けたと答えた回答者の割合は、フィンランドが六三パーセントと一番高かった。[3]人種差別に基づく暴力を受けたと答えた人の割合も、EU加盟国中ではフィンランドが一番高かった（一四パーセント）。[4]

ところが、高等教育を修了した移民の割合は、フランス（三六パーセント、移民でない人では二九パーセント）、アイルランド（四六パーセント、移民でない人では三四パーセント）と並んでフィンランド（三九パーセント、移民でない人では三〇パーセント）で高い。[5]

ヘルシンキ市のウェブサイトを見ると、二週間ごとの人口あたりの新型コロナウイルス新規感染者数の増加率を見ることができる。増加率の高い地域は、見事なほど、

8

アフリカ・中東出身移民の割合が高いエリアと一致する。それらはどれも、地下鉄と電車（路面電車ではない）の通るエリアでもある。公共交通機関を利用し、テレワークのできない人々や、個室がなかったり、複数世代が同じ家に住んでいる人々の多いエリアで、新型コロナウイルスは拡大した。

では、果たしてそういうふうにして感染した人々は危険な人々なのか。危険なのは、まずは感染症であり、次に、そのように感染を不平等に配分する社会の仕組みのほうだ。危険なのは、人々や地域ではない。

二〇二〇年の夏、真のフィン人党の幹部が、自宅で襲われた事件があった。最初、襲われた当人は「アラブ風」の人物に襲われたと答えたが、[6]現在進行中の裁判では、容疑者・被告は移民ではなく、むしろ極右とのつながりを疑われている。[7]フィンランドに住む移民でない人々にとっては、自分たちと同じ状況に置かれた人々のほうが学歴が低い可能性が高く、極右のほうが移民より危険である可能性が高い。

そして、人や地域を危険視する人々は、必ずしも「低学歴」だの「民度が低い」だのという言葉（私はどちらも大嫌いだ）で描写される人々というわけではない。ナチズムは中産階級から支持を受けて成立した。ラストベルトに住む貧しい人々だけが、ドナルド・トランプを支持したわけではない。

フィンランドに初めて来たとき、お世話になっている先生のおうちにお邪魔した。その先生のお連れ合いのヨシコさんは、日本で生まれ、日本語を母語とし、かつて日本国籍を持っていた。ヨシコさんに大変かわいがっていただいて何日かして、ユキは「ヨシコさんは日本人?」と質問した。

私は「まず、どういう意味で日本人とかフィンランド人とかいうのかという問題がある。日本という国、フィンランドという国のメンバーだと、日本の政府やフィンランドの政府がわかっている場合——これ国籍っていうんやけどな——について言うなら、ヨシコさんはフィンランド人や。何語を話すかでなにじんか決めるんやったら、ヨシコさんは日本語もフィンランド語もスペイン語も英語も話せるから、どれかやろ。英語とスペイン語を使ってる国はめっちゃようけあるから決めにくいけど。で、国籍や言葉とは別に親がどこから来てるかっていう話もできてな」と話し始めたら、ユキは「母ちゃん詳しいな」と呆れた。「まあ、母ちゃんはこの話、めっちゃ昔からずーっと気にしてるからな」と答えた。

そう、私はちょうどユキと同じくらいのときから、三〇年間ずっと考えてきた。私は日本人なのか、韓国人なのか、どうしてみんな、頼みもしないのにずけずけと、私を勝手になにじんだと言うのか。考えるのに費やした時間や労力を無駄だとは思わない。ただ、ユキはきっと私と別のことを考えるだろうし、そうであってほしい。

8

ユキが四歳くらいのとき、たまたま家族で韓国料理店に入った。ユキがトイレに行きたがったので連れて行ったら、トイレの中にチマ・チョゴリを着て踊る女性が写っているカレンダーが貼られていた。ユキは興味を持ったのか「あれ、何の服?」と尋ねた。「韓国の服」と答えたら、当然ながら「かんこくって何?」と質問してきた。私はそれまで、ユキに彼女の祖父や、彼女の母親の民族的な由来について話したことがなかった。

通常、エスニックなルーツというものは、もう少しそれらしい状況で語られるものではないだろうか、と思いつつ、そのままトイレで話した。かんこくというのは国の名前の一つで、ハラボジはいろんな紙の上では、かんこくの人だということになっている。ハラボジというのは、かんこくの言葉で「おじいちゃん」という意味だ。

ユキは真面目な顔で聞いて、そのあと「母ちゃんは、かんこくの人なん?」と尋ねた。どういう意味かによる。書類の上では、母ちゃんは日本の人でもあるし、韓国の人でもある。

「じゃあユキは? ユキはどういう人?」

「それは、そのときその場で、みんながいい加減なこと言いながら、適当に決めよる」

なるべく正確に答えようと思ったのに、結果として、意味のよくわからないことを言ってしまった。ユキは「ほな、ユキは女の人やな」とキリッとした表情で答えて、さっさとトイレを出た。そうきたか。

そのうち、ユキとクマは本当に韓国に行った。私とモッチンの仕事のあと、夜の釜山の街でアイスクリームを食べ、屋台のおじさんからイチゴをたくさんもらい、ソウルの地下鉄では見知らぬおじいさんからキャラメルをもらい、最後はKTXの車内で見知らぬおばあさんからとうもろこしや煎餅をもらった。ユキは「かんこくって、人がいっぱい、食べ物をくれるんやな」と学んだ。私は、大阪で飴をくれるのはおばちゃんだが、釜山とソウルで飴をくれるのは主におじいちゃんであると学んだ。

その次にユキがかんこくを知ったのは、ヘルシンキに着いたあと、自宅待機していた間だった。私がたまたま見ていたYouTubeで、TWICEの動画を見た。キラキラしたものと女性の集団が好きなユキは、目を輝かせた。そのままYouTubeにお勧めされるまま、KARAや少女時代、IUやBLACKPINKの動画も見た。自粛中の二週間、ほぼ毎日のように、ユキはK-Popの動画を観ていた。

それから一カ月くらい経ったあと、私がいつものように簡単なフィンランド語のニュースを見ていると、ユキが「このひとだれ?」とフィンランドの首相サンナ・マリンを指した。

「フィンランドの総理大臣」

「何する人なん?」

「国によって違うけど、だいたいは、みんなのお金の使い方を話し合って決めたあと、その決まりに従ってお金を使う。実際やってみて、何かうまくいかないことがあったら、最終的にはこの人のせいってことになる」

「ふーん、一番偉い人？」

「えらいの定義による。他人に言うことを聞かせられる人は、何か悪いことが起きたときに、ごめんなさいって言わないとあかん人や」

「ふーん、そっか。この人以外も女の人ばっかしやな」

「そうね、だいたい母ちゃんぐらいの歳の女の人が多いな」

「真ん中のほうが偉いんやろ？」

「普通はそう考えるね」

そんなやりとりをしたあと、ユキはしばらく考えているようだった。


それから数日経って、駅の近くにある議事堂の近くを通った。私が、あの建物の中でみんながお話し合いをする、と説明したら、ユキは「お城みたいやな」「中はピカピカなん？」と質問した。入ったことがないからわからない、入る機会があったら行ってみようね、と答えた。

その夜、ユキは晩ごはんを食べながら、真面目な顔で「ユキは、大きくなったら、まずTWICEかKARAになる。そのあと看護師さんになって、それから政治家になる」

8

と言った。フィンランドには外国人の地方参政権があり、地方議員にならと立候補できる、ただし地方議員には報酬がないので、ほかの仕事を続けながら、パートタイムで議員をしなければならないと言ったら「ほな、看護師さんをしながら政治家になれるんやな!」と嬉しそうにしていた。そういえばたしかユキは、漫画のナイチンゲール伝記を熟読していた。

えーと、共通点は、女の人たち……かな?

一一月の一カ月間、ユキのクラスはいろんな外国語に触れる授業があった。手始めにドイツ語、そのあとロシア語、それからフランス語。でも、フィンランド語がそもそもできない子は、その時間にフィンランド語を学ぶこともできる。どっちがいいでしょうね? と先生に質問されたのでユキに聞いてみたら、迷うことなく「ドイツ語!」と答えた。まじすか。

今のところ、ユキは「世界中に行って、世界中の人とお友達になって、困っている人がいたら、できるだけいいことをしたい」んだそうだ。政治家になったら世界中の人とお友達になれるし、看護師になったらできるだけいいことができるから、その両方になりたいらしい。TWICE(かKARA)になるのは、この中のどの要望にかなっているんだろう。

私は、政治家になりたいと思ったことがない。それは、最初からありえない選択肢だった。国籍にかかわらず、在日コリアンだとわかる女が、日本で公的な場に出て、楽しく生きていけるはずがない。右だの左だのといった政治的信条の以前に、なるべくなら同席したくない印象を受ける男性たちの世界を、自分が生きていきたい場所だとは思えなかった。

建前が通る世界でなければ、私は生きていけない。そして、どういうわけか、みんなが学校で習ったはずの建前は、私が生まれ育って、責任を負っているあの社会では、驚くほど軽んじられている。

•

私が大学に入った年の紅白歌合戦に、イ・ビョンホンが出演した。イ・ビョンホンは画面のなかで、韓国語で喋っていた。私はそれを、実家でたまたま、父親と見ていた。父親はしばらく画面を凝視したあと、興奮したように「ＮＨＫで、朝鮮人が、朝鮮語を喋っとるぞ。お前、こんなこと、想像できたか」と言った。

アッパ、あのな、世の中はいま、韓流っていうのがあるんやで。この人めっちゃ有名やし、いま普通にヨン様やら有名な韓国人の俳優が、ドラマの中で韓国語を喋ってるんやで。と言うこともできたが、父があんまり感動していたので、水を差すのも悪いと思って言わなかった。

アッパ、あんたの孫な、TWICEに入りたいらしいで。あんた、TWICEなんて知らんやろ。韓国人と日本人の女の子のグループでな、ほんま眩しくて、真っ直ぐ見られへんくらいキラッキラやねんで。ほんで、そのあと、政治家になりたいんやって。信じられへんやろ。

フィンランドは日本と同様、少子化と高齢化の渦中にある。だから移民が必要だ、という議論も日本と同様になされている。私は、移民をまるで受入国の問題を解決する資源として、数と同じように見なす議論は嫌いだ。人間が足りないならよそから連れてくればいい、という考えは、よそからやってこなければならない人々の経済的な事情と、それが生まれる世界的な富の不公平な配分を無視しているのではないか。

移住して差別にあおうが自己責任かもしれない。好きで移住したんだったら、移住先に文句を言うのはおかしいのかもしれない。本物の難民と偽装難民とがいて、本物の難民には慈悲をくれてやるとしても、経済難民なんて他人の財布をあてにするような人間は自分たちの国に入れてやるものか、と思う人がいるかもしれない。移民が出身国で持っていたアドバンテージの多くは、なくなるか価値を減らしてしまう。事情があったとして、移住なんかするもんじゃないのかもしれない。

でも、一〇〇パーセントの自己決定なんてあり得るだろうか。どのような状態にあったとしても、どこかに私たちは、自分の力を持てる事柄を探す。自己決定できることを見つけ、選択し、そこに人生をかける。そこに強制や暴力や搾取を見出すことはたやすく、自主性と自己決定を見出すこともたやすい。でも、多くの場合、両方が分けがたく混ざっている。

そして、もし「本物の難民」の中に「偽装」した経済難民がいたとして、経済難民の何が悪い。悪いのは経済難民が生まれるような経済状況と、それをもたらす政治状態のほうだ。移民の何が悪い。よりよい機会を求めて移動できるのなら、移動して何が悪い。より豊かな国の人間の財布をあてにして何が悪い。豊かな国の人間の豊かさ

8

が、今も昔も、どこから来ているか忘れたのか。

私は政治的に何の迫害も受けていない。私は断じて、庇護の必要な状態ではない。でも、日本で子どもを育てるのは嫌だと思った。日本の教育に不満があったわけではない。そうではなく、私の子どもたちが「普通の日本人」になってしまうのが、私は嫌だった。

それは一〇〇パーセント私のエゴに違いない。今なら、なぜ私の父が私に彼の姓を継がせたのかわかる。自分だけが在日朝鮮人になるのを、もし彼が嫌だと思ったとして、私は彼を責められない。私は彼より、もっと子どもたちにひどいことをしているかもしれない。私はユキとクマが、どのような状況で、どのように扱われてほしいと思っているのだろう。

以前、うちに訪問してくれたネウボラの相談員・リータは、私がヘルシンキで一人で子育てしているのは大変だから、配偶者や他の家族がヘルシンキに来る予定はないのかと質問した。

私は「そうしたいのだが、子どもたちはすでに、父が日本にいるから自分たちが年に何度か、長期間、日本で過ごせるのだと知っており、その状態を続けたいと言う」

と答えた（実際、特にユキは明確にそう希望しており、現状の行ったり来たりができるためにはしばらく父と会えなくても仕方ない、母が多忙なのはシッターを雇うか母が仕事を減らせばいい、と言う）。

するとリータは「素晴らしい！　お子さんたちは、すでに複数の文化の間で育つことのメリットに気づいておられるのですね」と指摘した。その視点はなかった。もし、万が一にでも、そういう部分があるのなら嬉しい。

・

ついこの前、ユキはお風呂で質問した。

「このままユキが、日本とフィンランドを行ったり来たりしながら大きくなったら、ユキはなにじんってことになるの？」

「誰が何者になるかは、その場の状況によって決まる」

またしても、私としては正確に答えたつもりだったけど、ユキにとっては意味がわからなかったかもしれない。ユキはしばらく考えて、思いついたような表情をして、得意げに答えた。

「わかった、フィンランドと日本の間やから、ロシア人やな！」

そうきたか。

8

いいよ、それで。

言い終えるや否や、ユキは「はっ、でもユキ、ロシア語しゃべれへんわ！　どうしよう！」と気づいた。私は笑いを押し殺すのに精一杯だった。

コラム4

小学校入学

コロナ危機の直前にヘルシンキに来て早一年半、フィンランドにはいいところも悪いところもあるけど、何かと気軽に変わるのには驚かされる。

二〇二一年からフィンランドでは就学前教育が始まるのが一年早まり（つまり、五歳から二年間は就学前教育を受けることになり）、二年延長されて一八歳まで義務教育を受けることになった。ということは、私と子どもたちがもしフィンランドに居続けることにしたら、ユキはここで一八歳まで義務教育を受けることになり、クマは来年から就学前教育を受けることになる。

就学前教育が義務化されたのは二〇一五年のことだ。義務教育化されてからたった六年でその年数が増えることにも驚く。義務教育の年数ってそんな気軽に変わるんだ。

ユキは二〇二一年の八月、お盆前くらいに、家から一番近い小学校に入学した。よく考えたら、ユキは日本でもフィンランドでも入学式を体験したことがない。二〇二〇年の四月にユキはヘルシンキにいたし、京都にいたとしても通常の、体育館に大勢で集まるような入学式は開催されていなかった。だから、同世代の友達と一緒に登校初日を迎えること自体がユキにとっては人生で初めてのことだった。そのせいで、前の日の夜にはユキも私も緊張していた。

当日の朝、フィンランドには入学式などないと聞いていたけれども、ジャケットくらい着ていったほうがいいのかと思って外に出たら、同じく新一年生を連れたご近所さんがスウェットパンツを穿いていたのを見かけ、私は急いでジャケットを置きに戻った。スウェットパンツこそあの人の正装、であるはずはない。

小学校の校庭につくと、子どもたちが見事に密集していた。昨今のご時世でこれは怖い。しかも先生方とごくわずかな保護者を除き、成人の多くは屋外だからなのかマスクをしていない。ユキは「フィンランドでは子どもはマスクせえへんの？」と不思議がっていた。私は「したほうがええと思うけどな」と答えたが、彼女の顔のサイズに合う不織布マスクを持っていなかった。

よく見ると、「1－A」「1－B」とクラスの名前を書いた紙やマスコット（ほぼ干し首のような人形もあった。怖い）を持った大人がいる。どう見ても担任の先生だろう。学校から連絡された集合時間になってしばらくすると、その人々が大きな声で子どもの名前を呼び始めた。名前を呼ばれた子どもはその先生のところに行き、校庭にいた子どもたちは二〇人くらいのいくつかのグループに分かれた。

すると、ユキの担任の先生は「はーい、じゃあ詳しいお知らせは先生が配るから、みんなお家の人に持って帰ってくださいねー、ヘイッパ（さいなら）ー！」と私たちとお別れし、子どもたちを連れて校舎に入っていった。その間だいたい一〇分くらいだった。校長先生らしき人もいたけれども、ときどきクラスの旗を持ってその辺をうろうろしているだけだった。たしかに、これならスウェットパンツで問題ない。ジャケットを着てこなくてよかった。

ユキのクラスは二一人の児童に対して担任が一人と学習指導の先生が一人、必要に応じて特別支援教育の先生がいて、英語やその他の外国語の先生もいる。まだ校内に保護者は入れていないのだが、どうも音楽室にはスタジオのような設備もあるようだし、工芸室には大きな機織《はたお》り機もあるようだ。登校初日から給食も学童もある。フィールドワークと称して私が通ってみたい。

その日の夕方、ユキは「楽しかった！」と笑顔で帰ってきた。勉強のない学校みたい、遊んでばっかりで楽しい、何もかも京都の小学校と違う、と言っていたが、通学路でわりとダサい帽子をかぶらないといけないところだけ同じらしい。たしかに、ユキは蛍光黄色に反射しそうな銀色の模様が描かれた、目立つ帽子を持って帰ってきた。

ここでも反射させるのか、とややうんざりしたが、一年半の間にあまりに多くの反射させる人々を見てきたせいで、私もこの蛍光黄色にだいぶ耐性がついてきた。反射、大事だよね。

小学校が始まるとすぐ、とあるサイトのURLと登録方法と仮パスワードの書かれたプリントをもらった。そこにアクセスして登録すると、自分が保護者である子どもの時間割、学校からのお知らせ、試験の成績を見ることができ、お休み

（長期欠席）のお知らせなどを申請したり先生方に個別にメッセージを送ったりできる。これは学習管理システム（Learning Management System:LMS）というやつでは。私はユキの試験の結果まで興味ないんだけどな。

私なんて、たぶん本当にただの一度も、親に「宿題やった？」と聞かれたことはなかった。テストを見せろと言われたこともなかった（私は見せたことがないしそれで問題はなかった）。しかし、この学習管理システムでは、先生方からお知らせが来ても、試験の結果が出ても、自動的にそれを私が見られてしまう。でも「明日うち遠足やったわ」とシワシワのプリントを夜に見せられるよりはましなのか。

そのシステムを通じて、子どもが個人のパソコンやタブレットを持っているかどうかについてのアンケートが来たこともある。でも保護者のサインが必要な場合もあるので、プリント類がなくなるわけでもないようだ。

ユキが小学校に入ってすぐ、ヘルシンキの小学校は京都の公立小学校と違うところだらけなことに気がついた。いくつか挙げると、まず始業時間が朝八時からだったり九時からだったり一〇時からだったりする。なんでそこで変えるの？帰る時間のほうで調整しないの？

それから、語学の授業時間数が多い。まずフィンランド全土にフィンランド語が第一言語の学校とスウェーデン語が第一言語の学校がある。ユキの通う学校ではフィンランド語が第一言語で、その他にもう一つの公用語であるスウェーデン語が必修だ。一年生から英語かドイツ語かフランス語を第一外国語として学び（ユキは英語を選択した）、三年生からもう一つ学ぶらしい。ということは、ユキはフィンランド語＋スウェーデン語＋第一外国語＋第二外国語＝四カ国語を勉強させられることになるのか。

ヨーロッパ系言語なら四カ国語でもだいたい似てるでしょ？　と思う人もいるかもしれないが（私はかつてそう思っていた）、フィンランド語は私たちの想像する「ヨーロッパ系言語」とはだいぶ違う。スウェーデン語とも違うしロシア語とも違う。だって「駅」はスウェーデン語で「station」だし、ロシア語でも小さい駅なら「станция（スタンツィーヤ）」だけどフィンランド語だと「asema」だ。違いすぎる。もう少しスウェーデン語と似てくれたらよかったのに、と思わなくもない。英語の知識をまったく使えないじゃないか。

閑話休題。体育の授業も少し違う。学校指定の体操着はないので、自分でジャージを買ってくる。そして、最初の体育の授業ではオリエンテーリングをしたらしい。オリエンテーリングって何だっけ？　遠足でやったことがあったかも？と思っていたら、どうもオリエンテーリングはスウェーデン発祥らしく、ということはフィンランドではよくあるスポーツなのかも知れない。でも、私のフィンランド語に間違いがなければ、お知らせには「校内の地図を持って歩き回ります」と書いてある。それって、校内探検とあんまり変わらなさそうなんだけど。

それから、学用品はすべて無料だ。ノートと教科書はユキが学校でもらってきたが、鉛筆や消しゴムや定規なども教室においてあって、みんなで使うらしい。給食も、学童でもらうおやつも無料だ。でも学童は事情がないかぎり一・二年生しか対象でないうえに、基本的に夕方四時までしか利用できないのに、月謝が京都市の倍はかかる。なんでやねん。

そして、当たり前ではあるが、先生方からの連絡も、プリントも、すべてフィンランド語だ。ユキが入学して一週間ほどすると、保護者会があった。先生からの話も保護者同士の会話も全部フィンランド語で、私には話されていた内容の一割もわからなかった。あとで担任の先生を捕まえて「ところで、今日は何の話をしていたんでしょうか」と英語で質問するしかなかった。

そして何より、勉強しない。いや正確にいうと、一年生で勉強する量が少ない。ユキの教科書を見るかぎりでは、一年間かけてアルファベットの読み方と数字の書き方と数の概念を学ぶようだ。ユキは「学校で遊びしかしてない」と言っていたが、そりゃそうだろう。このペースで進むんだろうか。でも、フィンランド生まれフィンランド育ちで、私の知っている人たちと会話していて「そんなことも知らんのか」と思ったことはない。

日本の小学校はたしかに、文字（平仮名、片仮名、漢字）を学ぶ量も半端じゃないし、歴史だってかなりの量を勉強しないといけない。翻って、フィンランド語の文法は謎だが、表記法と発音は極めて簡単だ。フィンランドの歴史と言っても、地球上に「フィンランド」なる国家が存在し始めてから一〇〇年ちょっとしか経っていない（スウェーデン史やロシア史も「フィンランドの歴史」として学ぶのだろうが）。

などと思っていたある日、クマのお迎えに行くと、ユキの担任のマリア先生が園庭におられたので、しばらくユキの小学校生活について立ち話をした。私が「いやあ、話には聞いていたけど、ほんとまじ全然勉強しないんっすね！　日本だと就学前教育の年齢の子どもが平仮名と片仮名と漢字八〇文字を勉強して、足し算と引き算ぐらいやってますよ。こっちの小学校は昼までしか授業ないし、ユキは「遊びしかやってない」って言ってますし。びっくりっすわー、ハハハハハー」と言ったところ、マリア先生は例によってとても真面目に「子どもの仕事は遊ぶことなのです」と答えた。

「子どもが望まない技術を強制的に身につけさせるのはときとして要求が高すぎて、大人の満足にのみ結びつく危険があります」

「遊びを通して学ぶほうが、学ぶと思って学ぶことより身につくときがあると私たちは考えています」

「アカデミックな技術であれそれ以外の技術であれ、六歳や七歳の子どもを長時間座らせて一方的に教え込むのは、害のほうが大きいかもしれません」

「子どもの情熱の持っていく場を大人が見つけるのではなく、子どもが遊ぶなかで自分で見つけられればいいし、見つけられなくともそれでいいではありませんか。幼いうちに何かを強制されて「これは嫌だ」と思うのは悲しいことです」「小学校三年生（＝日本で言うと一〇歳前後）くらいまでは、他の人と一緒に過ごす技術 social skill、毎日の生活を自分で整える技術 daily routine skill、遊ぶ技術 playing skill を可能なかぎり数多く練習するのが大切です」

……等々と諭されてしまった。また技術と練習か。徹底している。

おかげさまで、ユキはヘルシンキでは「学校やけど遊びしかしてない（本人談）」日々を過ごしている。京都の小学校に通うときは大変そうだけれども。

でも、今週ユキたちに出された宿題は「朝、自分で起きる」「歯を磨く」「朝ごはんを食べる」「家に帰ったらかばんの中身を出す」みたいな一連の作業のようだ。それはいくらなんでも簡単すぎるのでは。これは毎日の生活を自分で整える技術の練習だろうか。

ところで、その宿題の中にある技術の一つに「気候に合わせた服装をする」というのがあって、それを見つけたときに私はうっかり笑ってしまった。これはあの、同僚のお連れ合いが言っていた「適切な服装をすれば、天気が悪いなどということはない」ではないか。たしかに、気候に合わせた服装をするのは大切だけれども。

おわりに

ヘルシンキに引っ越してきて一年以上たった。

ユキはヘルシンキで小学校に入学したし、クマはこちらで年少組になった。すでにユキは私よりフィンランド語ができる。クマも最近になって急に、日常の会話の中でフィンランド語の単語が増えてきた。この前、夕食後に二人は寝室でフィンランド語で喋っていた。どう考えても今や、私が三人の中で一番フィンランド語ができない。

京都に帰省するときにもヘルシンキに住んでいるときにも、日本に住んでいる知人から、フィンランドの生活について話してほしいと依頼されることがある。そう依頼されるとき、だいたいの場合、フィンランドは何だかとても素晴らしいところのように思われている気がする。幸福度世界一、教育世界一、みんなが幸せでヒュッゲな感じ、みたいな。

なおヒュッゲはデンマーク語だ。フィンランド語でそれに似たようなものは、たぶんカルサリカンニ Kalsarikännit（パンツ一丁で自宅で飲酒）だと思う。ヒュッゲ中に画像をつけてSNSで呟いたら、そこそこ「いいね！」をもらえそうだが、カルサリカンニ中にSNSで呟いたら（「いま自宅でパンツ一丁で飲んでます」）、心配されそうな気がする（画像を投稿するのも自粛するほうがいいだろう）。

そのたびに気になるのは、何と何とを比較しているのだろうということだ。なんでも比較すればいいというものではない。例えば、AとBを比較することで共通する何かを見つけたり（例：「クマ、プールに行ったあとは痒がるよね」「冬も痒がってる気がする」↓「乾燥するとまずいのかな？」）、AとB・C・Dを比較することでAの特徴に気づいたり（例：「私のまわりの人、服に反射材つけてる人ばっかしやねん。どんだけみんな反射させたいん？」「いや、それ、君が反射させてないだけちゃうん？」「ほんまや！」）できる。このときに大事なのは、何かの条件を揃えることだ（例えば、「行った場所」「反射材」）。

あるいは、何かを比較したことによって、最初は見つけられなかった「隠れた同じ条件」がわかるときもある。例えば、「被差別部落の差別体験と、在日コリアンの差別体験を比較しましょう」と言われたとき、同じ条件は「被差別部落出身者と在日コリアンに固有の事情」より、「日本人のマジョリティから差別されること」のほうだろう。

では、フィンランドと日本を比較するとき、私たちは何をしたいのだろうか。共通する何かの要素を見つけ出したいのだろうか。見つけ出してどうしたいのだろうか。何と何が「同じ条件」なのだろうか。国家であること？　民主主義体制をとっていること？　市場経済であること？　福祉制度が整っていること？　比較を通じて何かを知りたいのなら、何について、なぜ比較するのか、前もってある程度は考えておくほうがいいだろう（常識的に考えて）。

フィンランドが幸福度世界一という話もよく聞く。実際、フィンランドにはそれぐらいしか自慢することはないかもしれない。でも、その幸福度という名称で測られていることは、日本語の「幸福」とは少し違う可能性がある。

世界幸福度報告の指標は一人あたりＧＤＰ、社会的支援（ソーシャルサポート、困ったときに頼ることができる親戚や友人がいるか）、健康寿命、人生の選択の自由度（人生で何をするかの選択の自由に満足しているか）、社会的寛容度（過去一カ月の間にチャリティなどに寄付をしたことがあるか）、社会の腐敗度（不満・悲しみ・怒りの少なさ、社会・政府に腐敗が蔓延していないか）、ディストピア（全項目が最低である架空の国）との比較で測る。

そこそこ貧しくなく、困ったときに頼る公的あるいは私的な関係があり、少ない費用で健康を保障する仕組み（＝医療保険制度）が整っていて、回答者が人生の選択が自由にできると感じていて、寄付したことのある人がいて、政治の腐敗度合いが低く、社会に怒りや不満や悲しみが少ない状態が、この調査で測られる「幸福」ということになる。

ということは、例えば「でっかい車に乗って毎日和牛を食べて豪邸に住んで最高だぜ！」という幸福（happiness、長続きしない感情的な幸福）は、この調査では測定されない。「世の中に嫌なことはたくさんあるけど、家の外に出れば素敵なカフェやパチンコ屋や居酒屋があってそこに行けばほっとするし、ショッピングに行ったらいいものがお値打ちで手に入る」という幸福も、多分あまり測定されない。

幸福のあり方は様々だ。ひとりで本を読むのが好きな人もいれば、友達とスポーツをするのが好きな人もいる。商売が好きな人もいればお金なんて汚らわしいと思う人もいるだろう。お喋りや人間関係が好きな人もいれば、他人と関わるだけで苦痛だと思う人もいる。そういう人たちの多様な幸福を、緩やかにサポートする仕組みがあるかどうか、というあたりではないだろうか。

言い換えれば、人間関係はそこそこありつつもお互いに一定の境界線を引き、ある程度から先は放置することができるような法制度が整っており、それを人々が十分に利用できて、自分や社会の状態に納得しているなら、この調査で言うところの「幸福度」は高くなりそうだ。

結局この調査は、個人が多様な幸福（well-being、心身ともにいい状態を実現する活動や選択）を追求することのできる制度的な仕組みがそこそこ整っているかどうかを見ているのではないかと思う。

たしかにそれならフィンランドは幸福度ランキングで一位に来そうな気はする。でも、そのうえで、フィンランドで生活したら毎日そんなキラキラしたサステナブルでヒップでヒュッゲでおしゃれな暮らしがあるかというと、そんなことはまったくない。では、何が今のところ、私にとって「フィンランドのよさ」なのだろう。

まず、子連れにやさしい。昨日も私は保育園の帰り道、とつぜん走り出したクマとユキを追いかけ、「ちょっと待ってー」と言いながら走って帰ったが、すれちがう人々でこちらをみる人たちは、みな笑顔を向けていた（もしかしたら「あのおばさん、変な帽子（サンバイザー）をかぶっているなあ」と笑っていたのかもしれないが）。

それから、刺激がないところ。誰もあまり他人に関心を示さない（ように見える）ところ。そして、エスニックな区分が非ヨーロッパ人について雑なので、出身地が日本だろうが台湾だろうがインドだろうがマレーシアだろうが、たぶん「アジアン」で一括されるところ。つまり、日本人か韓国人か、などと、ずけずけと問われないところ。

それぞれの「よさ」には根拠がある。と言っても、私は今のところフィンランド語がほとんどできない（Google 翻訳や辞書を引きながら公的なお知らせを四苦八苦して読むレベル、やさしいフィンランド語ニュースが読める・聴けるレベル）。フィンランドの法律や歴史、社会運動や文化についてもど素人だ。だから、ここに書くことは「素人の思いつき」と思って読んでほしい。

まず、フィンランドの社会福祉は普遍主義に基づいている。つまり、公的サービスが広く薄く行き渡っていて、すべての人々が社会保障および社会福祉・保健サービスへの共通かつ平等の権利を持つ。

言い換えれば、誰もが社会福祉制度のお世話になるのであって、社会福祉制度を利用するのは「困っている人」ではない。もっと言い換えれば、公助は「世間のお世話になる」ことではなく、「高い税金を一部還元してもらう」とか「貯金する代わりに、いざというときのためのお金を税金として持っていかれる」とかいった感じに近い。

これは福祉サービスを受ける敷居がとても低いことを意味する反面、受けられるサービスがそれほど素晴らしく手厚いものでもないことを示す。例えば、育児手当はそれほど高くないし、ひとり親家庭でも手当の額が増えることもない。

そして、すでに育児手当があるのだから、職場から追加で何かの手当が出るということもない（少なくとも私の職場では）。職場から通勤手当や住宅手当も出ない。この違いは、日本ではそのような支援の仕組みの一部が、企業に委ねられていることも意味するだろう。

結果として、何のサービスをどの程度、いつ利用するかについては利用者の自己決定に委ねられている。助けを求めなければそのサービスの情報ももらえないが、とりあえず今のところは、助けを求めたら確実に助けてもらえる。

前に事故で歯が欠けてしまい、公立の歯医者さんに駆け込んだところ、歯科助手の女性から「あなたは、自分で、助けを、求めなければ、ならない！」と英語で叱られた。そうですよね、ほんと怠惰で申し訳ありません……。

だから、子どもは、世間というか人様というか、公に迷惑をかける存在ではないのだ。というか、公というのは「迷惑」の対象ではなく、私が利用する対象だ。私に背くものが公ではなく、公のために私が我慢しなければならないのではない。

私は税金の形ですでに公に奉仕し、公はそれをだいたい全員に配分する。配分を受ける量が少ない人（例えばその年たまたま健康で医療にかからなかった人）は、税金が戻ってくる。公は、多様な幸福を追求する個別の私のためにある。

二〇二一年の春、ユキは就学前教育を卒業した。卒業式というものはなく、春のパーティ kevätjuhla があった。卒業証書ではなく、先生方からのメッセージが書かれたカードが一人一人に配られて、みんなで歌をうたって、次の日には森に散歩に行った。散歩では子どもたちが好きなものを持ちよって、森で食べて、隠れん坊をしたり鬼ごっこをしたりしたらしい。上のどこかから与えられた教育を、子ども（と保護者）が恭しく受け取って修めたことを証明する式ではなく、一年間楽しかったことを記念するパーティだったようだ。[1]

消費する楽しみがないのは、労働時間が短く、税金が高い（＝他人を雇うと高い）ことと同じだ。今のところ、ヘルシンキ市内のいろいろなお店に行っても、なかなか「お、値段以上。」（by ニトリ）のものに出会わない。何か欲しければ自分で作るほうが安上がりだし、とりあえず時間は日本にいるときよりずっとある。「ていねいな暮らし」が強制されている感じだ。

そして、年の半分くらいの間、外は暗くて寒くて長時間いられないので、屋内で過ごすほうがいい。二〇二〇年はコロナ危機のため、公共の屋内施設の多くは閉鎖されてしまっていたので、結果として家しか楽しい場所がなかった。家で丁寧な暮らし、と書くと素敵な感じがするが、中学校の技術の授業でろくに立たない椅子を作り、先生に頭を抱えさせた実力の持ち主としては、なかなか厳しい場所だとも言える。

じゃあ、その何がいいのかというと、心が静かになることだ。たいしていいものはない、あってもなかなか買えない（税金がもうちょっと安かったら買えそうだけど）。心躍るようなショッピングモールなどない、というか、モールはあってもそこに置かれている商品に心が惹かれない。おいしいレストランもそれほど見当たらない。何度も言うけど何かと高い。というわけで、欲望を刺激するものに出会えない。それは、わりと、心が落ち着くことでもある。修行僧かよ。

なお、大体のものを「買わなくてもなんとかなるんじゃないか」と思ってしまいがちな私にとって、フィンランドにおける北欧デザインとはマリメッコやイッタラやフィンレイソンではなく、アパートの入り口にある靴ブラシ（ちょっと段差がついていて、落とした土や埃は下の地面に落ちる）、食洗機とオーブンと巨大な冷蔵庫が備え付けられている台所（ワンオペ育児における食洗機とオーブンと巨大な冷蔵庫の素晴らしさは言い尽くせない）、洗った食器をそのまま置いて乾かせるシンクの上の食器棚だ。おしゃれではない。でもあるとないとで大違いだ。

この「心を刺激する素敵なものが手に入りにくい」と「気候が厳しい」が組み合わ

さると、「職場の服装で大切なことは何ですか？」という質問に対して「重ね着ですね！」と答えることになる。そもそもお互い（首都なのに）冬の登山のような格好をしているのなら、他人の外見についてコメントのしようがない。私はファッションも化粧もまるで練習しないまま三十路半ばになってしまった。そういう人間にとって、誰からも外見にコメントされないのはとてもありがたい。

もちろん、おしゃれな格好をしたり、髪型を変えたりしたとき、誰かにいい感じで褒めてもらえたら嬉しいだろう。でも、個人に注目することが、いつでもいいとは言えない。

ユキとクマの先生たちは、二人の人格や才能ではなく、スキルを評価した。あとになって、私はその理由が「教員のマニュアルで人格を評価してはいけないことになっているから」だと教えてもらった。

才能や人格は批判できない。それは、ある程度まで持って生まれたもので、それによって生じるメリットもデメリットも、本人の自己責任だと思われている。しかし、スキルはいつからでも、いつまでも伸ばすことができる。どのスキルをどのていど伸ばすかは個人が自己決定できるし、周囲はそのスキルの練習を手伝うことができる。

個々人の振る舞いや人格を問題にすると、その問題を解決するのは個々人に任される。でも、技術や、個々人に共通した事柄に注目すると、自分も（おそらくは誰かと一緒に）それを解決したり練習したりできる。

この前、私がレジで交通カードに課金しようとしたら、レジのシステムが上手く働かず、課金するのに一〇分くらいかかった。そのとき、そのレジに並んでいた人たちは、誰もイライラしたそぶりを示さなかったのだけれども、私は自分がまわりに迷惑をかけていると思って、とても焦った。

そのことをエリナと散歩しながら話したら、エリナは「本当はイライラしていたかもしれないけど、それを顔に示すのが恥ずかしいだけじゃないかな」と言って笑った。私が「でも、私は迷惑をかけたんじゃないかと思って、とても焦ってしまった」と言ったら、エリナは今度は不思議そうに「なぜあなたが迷惑をかけたことになるの？あなたの問題ではないでしょう？　レジのシステムが悪いんだから」と答えた。

私はエリナの発言に、わりと大きな発想の違いを感じた。個人を見てしまうと、私たちはお互いに仲が悪くなってしまうかもしれない。あのときレジで時間がかかったのは、私の問題ではなく、レジの人の問題でもなく、レジのシステム（あるいは、そのようなレジを導入したり、レジの人の指導が不足していた店あるいは企業）の問題だと思うなら、私も含めたレジに並んでいた人たちは皆、お互いを「迷惑」と感じる必要はない。でも、それが「面倒な客」や「無能な店員」個人の問題なら、私たちはその面倒な客や無能な店員を、ちょっと嫌いになってしまうだろう。

フィンランドではちょくちょくストライキがある。二〇一九年、フィンランドの郵便局ポスティ Posti は長期間にわたってストライキをした。その結果、各種の配達が遅れ、ついでに公共交通機関も連帯してストライキをしたから、ヘルシンキの公共交通機関が一日止まってしまった。この春にもストライキがあって各種交通機関が止まった。こういうのは、人によっては迷惑かもしれない。

でも、そこで言うべきは、「ストライキは迷惑だ、だからやめろ」なのだろうか。もし「労働者がストライキしないで済むような経営をしろ」とか「ストライキをしないで済むような政策を実施しろ」と思えば、ストライキや労働組合を迷惑だとは思わないだろう。もし私たちがお互いに労働者同士なら、労働者同士がお互いに「迷惑だ」と嫌いあうことで、得をするのは誰だろう?

ストライキだけではない。誰かを「迷惑だ」と思うことで、もしかして私たちは、連帯して解決できるはずの事柄を見逃しているのかもしれない。それはもしかして、とても孤独なことではないだろうか。いろんな人たちと、そのときどきに、目的のために連帯したくないというなら、連帯するより誰かからの指示に従うことを選ぶなら、たしかに私たちの社会は、とても孤独で苦しく、生きづらい場所かも知れない。

いや連帯とか協力とかめっちゃめんどくさいし、そんな時間の余裕なんかねーよ、運動とかできるやつはそれだけで貴族だろ、って突っ込まれると思うけど。でも忙しくて自分が社会に働きかけられないぶんまで、別のところでがんばってくれている人たちがいる。その人たちを、忙しい自分たちが、わざわざ攻撃する必要はない。

運動はみんなでやるものだ。社会はみんなで作ったり作り替えたりするものだ。普通の人々が、普通の会話を交わして、普通の結論に至る。そういうどこにも特別なことのないやりとりを繰り返して、普通の無数の人々が法律や制度やその運用のされ方や、それらの背景にある知識と規範を変えてきた。そういう普通の人々の集団の力を信じているから、私は社会学を面白いと思う。

私たちが苦しい理由は、私たちが思っていることと、違うところに起因しているのではないか。二〇二〇年の三月から、私はぼんやりとそう感じている。

そもそも、日本に住んでいる人にとって、フィンランドに住んでいる人たちの幸福度が高いかどうかなんて、そんなに重要なことだろうか。そうではなく、本当に言いたいことは、「私たちは不幸だ」ということのほうではないのだろうか。それ、フィンランドに興味ないんじゃありませんか。

フィンランドは、いやフィンランドだけでなく世界のどの国のどの場所も、残念ながら、日本の不幸を語るときの枕詞ではない。住めば都だけれども、どんな都に住んでいたって、隣の芝生は青く見える。フィンランドにはフィンランドの嫌なことがあり、日本には日本のいいところがある。それだけの話だ（だいたい、フィンランドと日本のどこに、誰と、どの程度の収入で、どんな在留資格で住んでいるかでだいぶ幸福度は違いそうだ）。

日本にいて不幸だと感じるのなら、その不幸は日本に属する私たち自身で解決しなければならない。フィンランドの幸福度に寄与する法制度は、仕組みも歴史も理念も、日本とあまりに違うので、参考にできるところはほとんどないだろう。日本に住んでいて自分たちを不幸だと感じるとき、フィンランドがその不幸さを語るときの比較対象として持ち出されるのであれば、検討すべきはフィンランドの幸福度（だけ）ではなく、日本にいることが不幸だと感じる比較の仕方だ。

私は、「日本は社会問題なんて存在しない！ サヨクに騙されているだけで、日本は本当は素晴らしい国だ！」などと言いたいわけではない。だいたい、日本に何も問題がないと感じるなら、なぜわざわざ慣れ親しんだ京都を離れて、物価も家賃も高いうえにこれといっておいしいものもない、たいして読みたい本にもなかなか出会えないような場所に、子ども二人を連れて引っ越すだろうか。

私は自分が、自分の抱える問題から逃げられることを知っていたから、逃げたのだ。日本にはたくさんの社会問題があり、程度は違えど、どれもいったん深く足を踏み入れると、解決できないのではないかと思うくらい、その課題は大きく、利害関係は深く、行政は無慈悲で、企業は貪欲で、人々の連帯は難しい。

でも、その難しさはきっと、世界のどこでも似たようなものだ。どの国に行っても、巨大で深刻な問題がある。どこに行っても人々は苦しんでいる。どこにも幸せな国などない。

モッチンが言っていた。「政治運動しなくていい国は、政治的自由のない国だけだ」たぶん、彼の言うことは正しいと思う。

だから、社会問題の解決のためにできる範囲でみんなで力を合わせて組織を作って粘り強くがんばっていくのと同時に、なぜ自分たちはそこまで不幸だと思ってしまうのかということと、その不幸だと思ってしまう考え方やその表現の仕方の歴史的経緯も、検討したら面白いのではないだろうか。

もし、幸福な家庭はどれも似たものだが、不幸な家庭はいずれもそれぞれに不幸なものであるのなら、それぞれの不幸とその表現、そしてその表現の来歴は、比較可能ではないだろうか。

そして、お互いを「迷惑だ」と憎み合い、感情と物語にだけ動かされ、スキルを見るべきときに人格を見つめ、互いを怖がってしまうことは、私たちをより不幸にこそすれ、幸福にはしないだろう。

ヘルシンキにやってきて一年以上たった。まさかこんな移住生活になるなんて、二〇二〇年の二月には思ってもみなかった。

幸いにして、私はいろんな人たちに助けてもらった。主に子どもたちとモッチンに。それから同僚と、保育園の先生たちと、ネウボラの相談員さんと、ご近所の人たちに。これからも私は、家族や友人だけでなく、たくさんの人と制度に助けてもらうだろう。社会とはそのようなものだ。公とはそのようなものだ。

私はユキとクマにも、そのように思って育ってほしい。あなたが助けを求めれば、誰かがあなたを助けてくれる。どんなふうに生きようとも、あなたは世界に歓迎されている。人権は立派な人のためのものではない。最もダメな人にこそ保障されているものだ。国家と制度は、あなたの個別の幸福を支えるために存在している。

そして、日本人だの韓国人だのアジア人だのと、あなたを何者かに分類しようとする人たちに対して、私は女でロシア人だと答えて、その質問がなされる状況のほうを問題にしてほしい。そしてたくさん友達を作って、粘り強く、できる範囲で、みんなで力を合わせて社会を変えていこう。社会に目を向けずに、私たちは自由になんてなれないのだから。

1　未知の旅へ——ヘルシンキ到着

1　“What is early childhood education and care?”

2　Helsingin Kaupunki, “Varhaiskasvatuksen vaihtoehdot”

3　高橋睦子『ネウボラ フィンランドの出産・子育て支援』かもがわ出版、2015年、p.105

4　フィンランド大使館公式ウェブサイト「フィンランドの子育て支援」

5　2021年から、就学前教育は5歳から7歳までの2年間に延長された

2　VIP待遇——非常事態宣言下のヘルシンキ生活と保育園

1　岩竹美加子、2020年3月6日「新型コロナ対応、日本と海外の「決定的な差」」現代ビジネス：https://gendai.ismedia.jp/articles/-/70864

2　YLE, Coronavirus Updates: 10.3.2020-10.4.2020:https://yle.fi/uutiset/osasto/news/coronavirus_updates_archive_10_march_-_10_april_2020/11307944

3　The New York Times, 2020年4月5日, “Finland, ‘Prepper Nation of the Nordics,’ Isn't Worried About Masks”

4　Iltalehti, 2020年4月1日, “Suomi hankkii neljä lentokoneellista suojavarusteita Kiinasta 10-kertaisilla hinnoilla – "puhutaan yhteensä kymmenistä miljoonista"”

5　YLE, 2020年4月8日, “Finland: Chinese face masks fail tests”

6　YLE, 2020年4月9日, “Minister orders probe into bungled face mask procurement”

7　フィンランドのデータはTHL（フィンランド国立健康福祉研究所）による。日本のデータは厚生労働省「新型コロナウイルス感染症について　国内の発生状況など」

8　The World Bank, “population ages 65 and above”(Finland)

9　The World Bank, “population ages 65 and above”(Japan)

10　YLE, “Finland announces €15bn support package to prop up economy”, 2020年3月20日

11　IMF, “Policy responses to Covid-19”, last updated on 4 Dec. 2020, フィンランド財務省“Government submits supplementary budget proposal to Parliament due to the coronavirus”2020年3月20日

12　時事エクイティ「新型コロナ経済対策、総額108兆円＝6兆円を低所得者、中小に給付—7日閣議決定」（2020年4月6日）, 内閣官房「新型コロナウイルス感染症に伴う各種支援のご案内」厚生労働省「生活を支えるための支援のご案内」2020年10月1日更新

13 時事通信、「日本の指導者、国民評価で最下位　コロナ対策の国際比較」
2020年5月8日 “A Global Public Opinion Survey Across 23 Countries (summary report)”
https://blackbox.com.sg/everyone/2020/05/06/most-countries-covid-19-responses-rated-poorly-by-own-citizens-in-first-of-its-kind-global-survey

14 https://www.satakunnankansa.fi/kotimaa/art-2000007070759.html

15 NHK、「外国人“依存”ニッポン：「世界一幸せな国」フィンランドが直面する「福祉の取り合い」（国際部・佐藤真莉子記者）https://www3.nhk.or.jp/news/special/izon/20190529fukushi.html

16 YLE, 2020年4月14日, “City councillor: Somali community Covid-19 infections "a class issue"”

4　技術の問題――保育園での教育・その2

1 https://positive.fi/en/we-are-positive/

2 田中潤子、2021年1月25日、「大人も子どもも「良いところ」にフォーカスする3つのアプローチとは？ フィンランドの教育現場に見るヒント」
https://edtechzine.jp/article/detail/5013

5　母親をする――子育て支援と母性

1 高橋睦子「子育て支援と家族の変容」『フィンランドの子育てと保育』明石書店、2007年、pp.148-195、pp.170-171

2 同前、pp.148-195、p.171

3 2016年の情報。なおOECD平均値は33%、デンマーク、アイスランド、ルクセンブルク、ノルウェイ、オランダは50%以上。OECD, 2016, “Starting Strong IV: Early childhood education and care data country note/ Finland”, p.8, https://www.oecd.org/education/school/ECECDCN-Finland.pdf

4 同上、p.9、Figure 5、ただしデータは2013年のもの

5 同上、p.10、Figure 6

6 Finnish National Agency for Education, 2018, "Key figures on early childhood and basic

education in Finland",https://www.oph.fi/sites/default/files/documents/key-figures-on-early-childhood-and-basic-education-in-finland.pdf, p.10, Figure 2

7 高橋睦子「子育て支援と家族の変容」『フィンランドの子育てと保育』pp.148-195, p.172

8 高橋睦子「フィンランド福祉国家のジェンダー・バイアスとフェミニスト・ジレンマ」『比較文化』vol.5、1999年、pp.191-208、p.204

9 高橋睦子「子育て支援と家族の変容」『フィンランドの子育てと保育』pp.149-195, p.176

10 EVA, 2021年2月9日, "Tiedotteet maahanmuuttajanaisten heikko tyollisyys heijastuu heidan lastensa parjaamiseen", https://www.eva.fi/blog/2021/02/09/maahanmuuttajanaisten-heikko-tyollisyys-heijastuu-heidan-lastensa-parjaamiseen/

11 YLE, 2021年1月18日, ""Finding a job in Finland was not easy" — Racism, discrimination hinder foreign graduates' job hunts"

12 Ahmad Akhlaq, 2019, "When the name matters: an experimental investigation of ethnic discrimination in the Finnish Labor Market", Sociological Inquiry, vol.90(3), https://onlinelibrary.wiley.com/doi/abs/10.1111/soin.12276

13 YLE, 2019年2月11日, ""I'm broken, depressed": Foreigners struggle to find work in Finland"

14 YLE, 2019年1月4日, "Modest pay hike for daycare teachers in capital region",

6 「いい学校」——小学校の入学手続き

1 YLE, 2020年9月21日, "Dual-heritage kids' language lessons under threat as Jyväskylä seeks savings",

2 エリナとの会話、2021年2月17日、原文は英語

3 Espoon Kaupunki, 2019年8月9日, "Four upper secondary schools in Espoo in the top fifteen in the national comparison of upper secondary schools", https://www.espoo.fi/en-US/Childcare_and_education/General_upper_secondary_education/Four_upper_secondary_schools_in_Espoo_in(167858)

7　チャイコフスキーと博物館――日本とフィンランドの戦争認識

1　石野裕子『物語　フィンランドの歴史』中公新書、p.108
2　同前、p.110
3　同前、p.112
4　同前、p.145
5　同前、pp.180-181
6　YLE, 2019年2月28日, "Jehovah's Witnesses lose exemption from military service"
7　前田耕、2018年8月1日、「「一強多弱」の政治をどう見るか」https://synodos.jp/opinion/politics/21918

コラム3　マイナンバーと国家への信頼

1　税理士ドットコム、2021年6月5日、「フィンランドではマイナンバーが日常生活で大活躍、なんで日本とこんなに違う?」https://www.zeiri4.com/c_1076/n_997
2　岸田花子、FNNプライムオンライン、2021年6月14日, 「"幸福度世界一" フィンランドで人生のピンチに手を差し伸べる「オーロラAI」…何がすごいか調べてみた」https://www.fnn.jp/articles/-/190875
3　https://data.oecd.org/gga/trust-in-government.htm

8　ロシア人――移民・移住とフィンランド

1　以上の数字はUNHCR「数字で見る難民情勢(2019年)」https://www.unhcr.org/jp/global_trends_2019
2　2018年11月28日, European Union Agency for Fundamental Rights, "Being Black in the EU: Equality, non-discrimination and racism"
3　同前、p.7
4　同前、p.13, 21
5　同前、p.45
6　YLE, 2020年7月20日, "Finns Party aide speculates far-right behind assault"

7　YLE，2021年2月24日，“Attempted murder accused denies charges, far-right links”

おわりに

1　2021年4月、教育大臣代行ユッシ・サラモは「我が国には、いかなる若者であれ子どもであれ、その才能を無駄にする余裕はない」と言って、教育予算の拡充を訴えた（YLE，2021年4月15日，“Ministry of Education pledges €67.8m to trackle education inequality”）。無駄にならなかった才能はどうなるかというと、税金になって返ってくる。国家が教育に投資しても、仕事について税金を納めればペイするという発想だろう。なお、教育大臣リー・アンダーソンは2021年4月時点で出産のため休職しているので、同じLeft Allianceのサラモが教育大臣を代行している。

本書は書きおろしです。

朴沙羅

ぱく・さら

1984年、京都市生まれ。
専攻は社会学（ナショナリズム研究）。
ヘルシンキ大学文学部文化学科講師。
単著に『家（チベ）の歴史を書く』（筑摩書房）、
『外国人をつくりだす――戦後日本における「密航」と
入国管理制度の運用』（ナカニシヤ出版）、
共著に『最強の社会調査入門』（ナカニシヤ出版）、
訳書にポルテッリ
『オーラルヒストリーとは何か』（水声社）
がある。

ヘルシンキ 生活《せいかつ》の練習《れんしゅう》

2021年11月18日　初版第一刷発行
2022年 6 月11日　初版第六刷発行

著　者
朴沙羅

発行者
喜入冬子

発行所
株式会社筑摩書房
東京都台東区蔵前2-5-3　〒111-8755
電話番号　03-5687-2601（代表）

印刷・製本
凸版印刷株式会社

ISBN978-4-480-81562-0 C0095